エッセイストのように生きる

松浦弥太郎

光文社

エッセイストのように生きる

松浦弥太郎

装幀　櫻井　久（櫻井事務所）

装画・挿絵　串田孫一

はじめに

・あたらしい生き方を考えよう

気候変動による気温上昇、インフレ化する世界経済、終わりの見えない国と国の争い、あらたなる感染症、広がる貧富の格差、核兵器の脅威、人間化を脅（おびや）かすテクノロジー、なにもかもが不安な時代です。

それでも僕らには今日の暮らしがあり、明日もやってくる。どうしよう、ちょっと待って、と思っていても、ときは止まってはくれません。

僕はときどき、そんな時代の流れに自分が取り残されていくような不安に襲われます。

もちろん、そんな毎日であってもたのしいことやうれしいことはあります。感謝することもあります。けれども、次から次へと、自分たちの想定を超えたできごとや問題がふりかかってくる。これが未来です。そこにある未来はどんな未来なのか。
そう思うと、僕は立ち止まりたくなりました。いまそしてこれから、自分はどんな人生を送ったらよいのかと考えるのです。

僕は自身のライフスタイルを省みました。
職業はエッセイストです。そのほかにさまざまな仕事のかかわりがありますが、基本的に「エッセイを書く」ということが暮らしのベースにあり、いつしか「エッセイを書く」ための暮らし方が自分らしい生き方になり、自分のこれまでの人生を築いてきたように思えます。

そこでふと思いました。これからを生きる選択肢のひとつとして「エッセイストという生き方」があるのではないかと。なんてことないと思っていた自分の生き方は、もしかしたら、これからの時代を生きるため、いや、生き抜くための小さな発明かもしれない、と。

突然ですが、あなたはコップ一杯の水をどんなふうに飲んでいますか?なにも考えずに一気にぐいっと飲んでしまうのか。それとも、いそがずにゆっくりと味わいながら飲むのか。コップ一杯の水の飲み方に僕はその人の生き方があらわれるように思います。どちらがよくて、どちらがよくないということではありません。ただその違いは大きいのです。

社会的な成功や、経済的な安定、未来に対する明るい希望という、俗にいうしあわせというものは、あくまでもなにかしらの結果論です。そこには努力や運が大きく作用するでしょう。では、そのために僕らはなにをどうやって、努力するのか。なにをどうやって、運を引き寄せるのでしょうか。これまで必要とされてきたのは競争に勝つことでした。だれよりも早く、だれよりも多く、だれよりも強く、社会という戦場で戦わなければなりませんでした。そこで勝ち残るか、負け破れるか。これから先の未来、そういう生き方がさらに求められるように思えて仕方がありません。

さて、あなたはどんな生き方を選びますか？

だれもが戦士になれるわけではありません。少なくとも僕は戦士になれません。いや、なりたくありません。これはしあわせをあきらめるということでなく、どこかにこれからの時代らしい、もっと違うほかの、戦わない、競わないというあたらしい生き方があるのではないかという疑問です。そう思えば思うほどに、「エッセイストという生き方」は、この時代に対する僕のアンチテーゼかもしれません。

競争社会の中、既存の生き方ではしあわせや豊かさが得られなくなった現代、社会に生きる多くの人はあたらしい生き方をさがしているのではないでしょうか。

僕は「エッセイストという生き方」をおすすめしたいのです。エッセイストという職業を選んでくださいというのではなく、その生き方を知ってもらいたいのです。

投資家やYouTuberのようにだれにも縛(しば)られずに大きな収入を稼ぐ働き方が典型ですが、一方、社会での承認欲求を満たすことや、セレブのような経済的成功を果たすことに抵抗を感じる人々も存在しているはずです。

さらに言えば、こんな情報社会であることから、今後、デジタルデトックスを求める人々は増えていくでしょう。

物質的なしあわせではなく、精神的かつ本質的なしあわせを求める人々のための提案がこの本の大きな意図です。

「エッセイストという生き方」とは、なにかになるための生き方ではなく、自分はどんな人間になりたいのかを考える生き方です。

日々の暮らしと自分自身をまっすぐに見つめて、よろこびや気づきという心の小さな動きを感じ、それを明確にできる生き方です。

30代、40代は人生の中間地点です。自分のこれまでを振り返るにはよいタイミングです。

ときに流されるのではなく、これからの生き方をリセットすることが大切なのです。人生はあと30年、40年残っています。ぜひとも、自分が自分として生きるための方法を見つけてはいかがでしょうか。

情報があふれているいま、自分自身の解像度が低くなり、仕事と暮らしにおいて、混乱しがちで精神的に不安な人々が増えています。

ありのままの日々の中からささやかな気づきや感動という宝物をさがし、それをよろこび、それを分かち合い、それを育むことで、自分自身の解像度を明確にし、他人への解像度も高めていく。そういう生き方、そういう人生を、僕はみなさんと学んでいきたい。

この本が、これからの未来のために、あたらしいしあわせと心の安らぎに満ちた「エッセイストという生き方」を学べる一冊になれたらうれしく思います。

・自分の軸を、保って生きる

20代の後半から、僕は長きにわたって自分の内側を見つめ、書きつづけてきました。自分の好きなものや苦手なものを知り、人生にとって大切なものを知り、自分のしあわせを、豊かさを、生き方をひとつずつ見つけてきた。

そうして「自分の生活」をつくりあげることができたのです。

自分の生活があるから、情報や他人の声に気持ちを乱されることはほとんどありません。なにかを決めるときも、たいていのことは答えをすっと出せます。ときどきバランスを崩しそうになることはあるけれど、すぐに「あ、いまの僕はいつもの僕と違うな」と気づき、力を抜いて、ニュートラルな自分に戻すことができます。

こうして自分が自分として生きることができているのは、エッセイを書いてきたから。「エッセイを書く」という行為を通じて自分自身を知り、心の中に自分の居場所を守りつづけてきたからにほかなりません。

エッセイを書くことに、救われてきたのです。

僕にとって「エッセイを書くこと」は仕事でありながら、同時に生き方の選択でもありました。つまり、「エッセイストのように生きる」ことを選んできたのです。

エッセイストとして世界を眺め、自分を眺め、日々を眺めていく。愛するものやことを深く理解し、自分だけの世界をつくり、自分の人生を選ぶ。そして、豊かさやしあわせを人と分かち合う。

「自分の豊かさ」と「自分のしあわせ」を知って、大切にする。なににも翻弄されずに、自分の生き方を見つける。コップ一杯の水を、静かにゆっくりと味わいながら飲む。なになろうではなく、どんな人間になりたいのかと考える。

その方法こそが、「エッセイストという生き方」にあるのです。

エッセイストのように生きる　目次

第3章　書くために、考える

第4章　書くために、読む

第5章 エッセイの書き方

第1章

エッセイとは、なにか

・エッセイとは、なにか

本書はエッセイを書くことを通じて「エッセイストという生き方」をお伝えしていく本です。

世の中で「正解」と言われるようなステレオタイプな生き方にとらわれたり、「こうあらねば」という思い込みにとらわれたり、情報の洪水に流されたりすることのない、健(すこ)やかな生き方。

そして、こうした生き方を支える「エッセイストとしての考え方」や、実際に書きたくなった人のための「エッセイを書く方法」についても、僕なりの経験を語っていきたいと思っています。

そのためにはやはり、まず「エッセイとはなにか」ということについてお伝えしなくてはならないでしょう。いざ書こうというときに立ち返るためにも、「エッセイのエッセンス」を共有したいと思います。

かつては雑誌が主戦場で、いまはインターネット上でも目にすることが多い「エッセイ」。創作物（フィクション）である小説と違うことはわかります。では日記やコラムとは、なにが違うのでしょうか。

「エッセイ」という言葉を辞書的に説明すると「自由な散文」となります。散文とは詩や俳句のように型が決まっていない「ふつうの文章」ですから「ふつうの、自由な文章」。——わかるようで、よくわからない説明です。

そこで僕は、エッセイのことをこんなふうに翻訳しています。

「パーソナルな心の様子を描いた文章」。

そうです、エッセイとは「うれしい」「悲しい」と感情が揺れたことについて考えをめぐらせ、言葉にして、ストーリーにまとめたものです。

ですからエッセイの本質は「今日はこんなことがあった」といったできごとや行動ではなく、「それによってこんなふうに思った／考えた」という心と頭、自分の内面のほうにあるわけです。

僕の感覚的にも、エッセイを書くことの全体を10とすると「書く」がだいたい3くらい。その前段階の、「自分の心と向き合うこと」や「考えをめぐらせること」が7くらいになります。

「パーソナルな心の様子を描いた文章」であれば、日記も同じではないかと思われるかもしれません。

でも、周りの人に聞いてみると、日記には自分の内面というより「起こったできごと」をそのまま書いている人が多いようです。今日はなにをだれと食べた、どんな仕事をした、こんな映画を観たといったできごとと、それについてのかんたんな感想というような。子どものころから慣れ親しんだ書き方でしょうか。

もちろん日記に自分の内面をつまびらかにする人もいるけれど、少なくともそれをだれかが読むことはないでしょう。他人には見せないものとして独白する。だから、ストーリーや表現の工夫もわかりやすさも必要ありません。

日記は「いまの自分」が書き手で「未来の自分」が読み手の、自分だけのもの。エッセイは、「読み手の存在が前提にあるもの」だと思ってください（ちなみに「コラム」は、ある対象について詳しい専門家がそれについて語る文章です。分析や意見、批評がメインになるのでエッセイとは性格が違います）。

エッセイは、心象や思考を描くもの。笑ったり泣いたり、ときに怒ったり絶望したり、問いを持ったり……人間らしい心のはたらきと、それをきっかけにして深めていった頭のはたらきを記すものです。

どこまでも自由でピュアであるゆえ、とてもおもしろく、美しいものだと思うのです。

・エッセイとは、「秘密の告白」

エッセイとはなにかという問いに、「心の様子を描いたもの」という言葉を与えました。ただ、それだけでは足りません。「うれしかった」「こんなふうに思った」と書くだけでは、エッセイとは呼べないのです。

もうひとつ、僕の考えるエッセイの定義があります。とても大切なお話。

「秘密」です。エッセイとは「秘密の告白」である。

まだ多くの人が見つけていない「秘密」をさぐり、気づき、見つけ、言葉にしたものが僕が考えるエッセイなのです。

「秘密の告白」といっても「じつは僕にはこんな過去があって……」というセルフストーリーをあけすけに話すことではありません（自分のプライベートや過去を切り売りして書くと不用意に自分を傷つけてしまうこともありますし、そうやってエッセイを書くクセがつくと長つづきしないので、おすすめもしません）。

エッセイにおける「秘密」とは、自分が発見した、ものやことに隠されている本質。ほかの人から借りた感性や意見ではなく、自分の内側から生まれた自分の言葉です。

僕のエッセイも、「秘密の告白」をしたものです。

しあわせ、家族、暮らし、旅……いろいろなテーマで書いてきましたが、すべて僕が見つけてきた「秘密」をお裾分け（すそわ）した文章なのです。

この本だってそうです。いま「エッセイとは『秘密の告白』である」という文章を書いていますが、これも僕なりの「秘密の告白」です。エッセイについて長い時間、たくさん考えてたどり着くことができた僕オリジナルの定義。とっておきの「秘密」です。きっと、エッセイについてこういうふうに考えている人はあまりいないのではないでしょうか。

「秘密」をこんなふうに見つけたこともありました。

20年ほど前、まだインターネットを使いだして間もないころ、僕は毎日自分のホームページに短い文章を公開していました。当時は文章を直接打ち込むのがむずかしかったので、A4の紙に手書きで文章を書いたものをデジタルカメラで撮影して、その写真をアップしていたのです。

その文章の最後につけていたのが、「今日もていねいに」という言葉です。

この「今日もていねいに」は、僕にとってなんとも心地よい言葉でした。ふわっとしてはいるけれど、背筋をすっと伸ばして、心を整えてくれるような気がしたのです。「この言葉は僕の発明だなあ」と親しみを感じていました。

ただ、じつは、「ていねい」とはいったいどんな生き方なのかはあまり言語化できていませんでした。よくわからないけれど妙に気に入っている言葉、という感じだったのです。

2010年代に入ってしばらく経ったころでしょうか、いろいろなメディアで「ていねいな暮らし」という言葉が飛び交うようになっていきます。

すると、はじめは好意的にとらえられていた言葉も、次第に「そんなの無理だよ」と拒絶されたり、「意識が高い」と揶揄されたりするようになっていきました。

少しずつ「ていねいな暮らし」という言葉がひとり歩きして、「今日もていねいに」への誤解も広がっていくように感じられました。その様子を見て、あらためて「ていねい」とはどういうことなのかきちんと定義したいと思うようになったのです。

そこで僕は考えました。いろいろな方向から、いろいろな見方で。

どんな暮らしが「ていねい」なんだろう。どんな心持ちでいれば「ていねい」に生きていると言えるだろう。逆に、「ていねい」ではない暮らしとはなんだろう。食事は。睡眠は。ものの扱い方は。人とのつきあい方は……。

じっくり考えつづけていると、あるときひとつの答えにたどり着きました。

「ていねいとは感謝すること」。

ゆったりと振る舞うとか、テーブルを隅々まで拭きあげるといった表面的なことじゃない。どんなことやものに対しても「ありがたいなあ」と思いながら過ごすことが「ていねいに暮らす」ということなんだ、と腑に落ちたのです。

そうすると、「では『感謝する』とはどういうことだろう？」という問いが浮かんできます。そこで同じように考えていくとまた、「感謝とは現実を受け入れること」だという答えを発見しました。足りないことに不平不満を言うのではなく、自分に起こったこと、自分の目の前にあるものとまるごと向き合い、受け入れるのが「感謝すること」の本質なんだな、と。


こうして僕はふたつの「秘密」を見つけ、それぞれエッセイとして書き残すことができました。

まだ自分しか見つけていないんじゃないか、という小さな発見。

気づいている人もいるかもしれないけれど、少なくとも自分にとっての発見です。

こうした「秘密」が、エッセイの種になってかたちづくっていくのです（「秘密」を見つける方法については3章で詳しくお伝えします）。

ですからもしエッセイを商品とするならば、多くの人が買いたくなるエッセイとは「秘密度」が高いものだと言えるでしょう。その人しか語れない、まったくあたらしい「秘密」。みなさんの好きなエッセイもきっとそうではないでしょうか?

そこに書かれている「秘密」が、多くの人にとっての大発見で唯一無二のものであればあるほどおもしろく、世間的にも注目を集めるエッセイになります。「とっておきの秘密を知れた」ということが、読み手のよろこびになる。僕が好んで読むのもやはり、「秘密度」の高いエッセイばかりです。

ちなみに僕は職業エッセイストですが、「読んだ人によろこんでほしい」と思って書いたことはほとんどありません。それは、あくまでも結果でしかないからです。

でも、「ひとつはとびきりな『秘密』のあるエッセイを書きたい」とはずっと思っています。それが読んだ人にとっても気づきとなるもので、少しでも人生を豊かにするものであれば、エッセイストとしてそれ以上うれしいことはないのです。

・エッセイとは、「視点」があるもの

1本のエッセイになるような「秘密」を発見するためには、自分ならではの「視点」を持つ必要があります。

先ほど「ていねい」という言葉について「いろいろな方向から、いろいろな見方で」考えたと言いましたが、まさにこれが「視点」。自分なりのものの見方です。

「視点」を持つためには、まず「見つめる対象」を持つ必要があります。

好きなこと、興味を持っていること、大切にしていること、愛していること。自分がいまいちばん「じっくり考えてみたい」と思うものを、心の中心に据えます。

そしてなにを見つめるかを決めたら、いろいろな角度から時間をかけて考えてみます。裏側を見る。遠くから見る。近づいて見る。

人が一瞬、一方向でしか見ないものを、数時間、数日、ときに数年かけて見つめる。

さらりと表面をなでるだけでは、その内側に隠れている「秘密」に触れることはできないのです。

インド料理屋さんでスパイスカレーを食べて、「おいしい」と感動したとします。けれど「おいしい」だけではエッセイは書けません。自分らしい「視点」がないから。「秘密」がないからです。

けれどそこで、スパイスに思いを寄せたり、スプーンや器に注目したり、ほかのお店との違いを考えたり、つくる人に関心を持ったり、個人的な思い出を引き寄せたり……自分らしい「視点」でそのカレーを考えていく。そうすることで、エッセイの入り口に立てるわけです。

あるいは、目の前にある花器を正面から見るだけでなく、「後ろ側はもっとおもしろいんじゃないか」と見る角度を変えてみたり、底に書いてあるサインから作者の生い立ちやつくったときの時代を想像したり、どういう意図でつくられたのかを考えたりするのも、

「視点」の持ち方のひとつ。どこに「秘密」があるのか、さぐっていくのです（僕はこうやって、ひとつのものをじいっと長く見つめる時間がとても好きです。見つめるたびに発見があります）。

人間関係、たとえば「夫婦」について自分なりの定義を考えてみるのも「視点」です。夫婦とはどんな関係だろうか、信頼とは、愛とはなんだろうかと考えを重ねてみる。夫婦でいることの意味をとらえ直したり、自分たち夫婦のふとした会話から気づきを得たりして、深掘りしてみる。自分の腑に落ちる答えを見つけるまで、考えを転がしていきます。

「おいしいカレー」「きれいな花器」「婚姻届を提出すれば夫婦になる」。

そんな表面的な答えで満足せず、自分なりの「視点」（問いとも言えます）を持って対象を見つめていくことで、ふと「秘密」にたどり着けるのです。

「見つめて、気づく」ためには時間が必要です。時間をかけて考えつづけることで、ようやく答えが見えてきます。

途方もないことに思えるかもしれません。でも、時間をかけた末にようやく「あっ、こういうことかもしれない」と自分なりの答えを見つけたときの感動は、なかなか日常で味わえないくらい大きなものなのです。

そしてとても大切なのが、自分の「視点」に決して照れないことです。「ほかの人と違うけれど間違っているんだろうか」とか「こんなことを言っている人はいないけれど大丈夫だろうか」と気後れする必要はありません。むしろそれを誇らしく思っていい。

だれもが、どんなに些細なことであっても「人とはちょっとだけ違う視点」を持っているはずです。そこに自分の個性があります。

恥じることなく、照れることもなく、肯定して書く。

問いという「視点」があるからこそ、答えという「自分だけのエッセイ」ができあがっていくのですから。

・エッセイとは、変化の記録

僕は20年以上、エッセイを書いてきました。「ものとのつきあい方」「はたらく」「夫婦」「友だち」「健康」「旅」「おいしいもの」……たくさんの普遍的なテーマについて、日々の心の動きや考えたことを書きつづけてきました。

おもしろいのが、昔書いたものを読み返したとき、いまとはまったく違うことを考えていることです。「うんうん、そのとおりだな」とうなずくだけで終わることは、ほとんどありません。

同じ「自分」のはずなのに、感じ方や考えていることはがらりと変わっているのです。もちろん、昔の文章にもうそはひとつもありません。毎回なにかを感じて、自分を見つめて、たくさん考えて、「これだ」と思える「秘密」を文章にしています。だから、そのときどきで見つけた、自分だけの真実が書かれている。

その真実は、自分の変化や環境の変化によってどんどん変わっていく。ものの見方や考え方が、いつまで経っても同じということはありません。
エッセイを書きつづけることで、自分の変化という軌跡をたどることができる。
自分の人生を振り返ることができるのです。

『暮しの手帖』の編集長を務めていたころ、かならず襟付きのシャツを着て、革靴を履いていました。社員にもそうするように伝え、守れていない人がいたら注意もしていました。編集者として一流の方々にすばらしいお話を伺い、きちんとしたものづくりをするのだから、おかしくない格好をすることが礼儀で最低限のマナーだと考えていたのです。

ところがいまは、時代の流れや僕自身のものの考え方の変化もあって（これまで、センスやおしゃれについてもたくさん考えてきました）、仕事のときにポロシャツやデニムを着たりもします。

そのふたつの時期では当然、「おしゃれ」について書くエッセイは大きく違うでしょう。極端に言えば、昔は「失礼だ」とエッセイに書いていたことが、いまの自分にとって「心地いい」になっていることだってある。

それでいいのです。そうして自分の内側で起こった変化を追いかけることもまた、エッセイの種になるのですから。

変化するのは悪いことではありません。「未熟だった」と恥ずかしがったり、「間違っていた」と否定したりする必要もありません。そのときの考えやポリシーがあったからこそ、そこを足場にして、自分を広げることができた。どちらが優れているというものではないのです。

僕は、昔の自分のエッセイを読み返すとき「このときはそうだったんだなあ」と静かに、なつかしい気持ちで受け入れています。自分が変化していることがうれしいくらいです。ですので、もし数年前に書いたものとまったく同じ意見だったら、逆にこわくなると思います。「思考停止しているんじゃないか」と。

変化とは、歓迎すべきこと。いつまでも、いつも違う自分で。

・エッセイとは、忘れたくないことを書いたもの

「弥太郎さんはなぜ、毎日のように『書く』のですか？」

そう聞かれたとき、少し照れくさいのですが、かならず返している言葉があります。

「忘れたくないことがあるんですよ」

エッセイとは、いつまでも忘れたくない、ずっと心に残しておきたい宝物を、書き記して残す営みなのです。

日々の暮らしの中で湧き出てくるたくさんの感情たちを、僕たちはかんたんに失ってしまいます。

仕事でつらい思いをしてくじけそうになったことも、「喉元過ぎれば熱さ忘れる」という言葉どおり、数年すると「まあ、いい経験だったな」で済ませてしまいます。

魂が揺さぶられるようなアーティストのライブも、数日、数カ月、数年と経つごとにその鮮やかさは失われていきます。

小さな子どもにもらったよろこびも、友だちとの別れで得たさみしさも、同じです。「絶対に忘れるものか」と思っても、抗(あらが)えない。古い感情が薄れていくのは仕方がないことなんですね。

エッセイは、この忘れたくない瑞々(みずみず)しい心の動きを記録していく役割を持っています。感情の記憶装置のようなものです。

この装置をはたらかせるためにも、まずは「いまの自分にとって忘れたくないこと」にしっかりと意識を向けなければなりません。

家族のこと、仕事のこと、趣味のこと、社会のこと。

いまの自分にとってなにが大切で、なにを書き残しておきたいかを意識する。それが「いまこのとき」のエッセイの核となっていきます。

この核は、人生のフェーズや自分の状況によって変化していくものです。だから、ある時期には友だちについてばかり書いて、ある時期には趣味のことばかり書く、というようなムラや偏(かたよ)りがあって構いません。むしろいいのです。

僕がエッセイを書きはじめたのが、20代の後半。知人から「書いてみて」と言われたことで、僕のエッセイストとしての人生がはじまりました。

当時は、あたらしい仕事に次々に声をかけていただいた時期。さまざまな出会いに大きな影響を受け、日々価値観がひっくり返るような発見をしていた時期です。こんな人に会った。こんなものを見た。こんなところへ行った。毎日が刺激だらけで、自分を変えてくれるものとたくさん出会えたのです。

若い僕にとっては出会いのきらめきと、それによる自分の変化がもっとも「忘れたくないこと」でした。だから当時のエッセイは出会ったものや、そこで得た発見ばかり記録していたように思います。

その年齢を越えると、今度は仕事にかかわることで、「忘れたくない」と思うことを記録することが多くなりました。先輩とおしゃべりするなかで、こんなひらめきをいただいた。ある職人さんに言われたこのひと言で、思わず考え込んだ。そもそも仕事とは、いったいなんだろう？　『暮しの手帖』の編集長を務めていたことで、「暮らし」についてもたくさんのことを考えました。

家族ができたり増えたりしたときはやはり家族についてうんと考えましたし、50歳を過ぎたいまの僕にとって核のひとつは親のことです。両親のことを忘れたくないから、書く。父は他界してしまいましたが、年を重ねた母と過ごす日々は心が動くことも多く、「忘れたくないもの」が詰まっています。

その年齢、その状況、そのときどきの「忘れたくないもの」とは、つまり「見つめる対象」です。見つめて、「秘密」を発見して、それがエッセイになっていく。自分のエッセイを振り返って読んでみると、当時の自分がなにに心を砕いていたかが手に取るようにわかります。

なにかに夢中になっている自分をあとから見つめられるエッセイは、いわば人生の軌跡。とても愛しいものだと思います。

・エッセイとは、自分の哲学

感情の揺れに気づき、自分なりの「視点」で見つめ、発見した「秘密」の告白文。決して起こったできごとをそのまま書いたものがエッセイではないし、上手に書くことがエッセイの本質ではないということが伝わったのではないかと思います。

エッセイを書くということは、日々を過ごすなかで「いちいち考える」ということです。自分や他者、できごとやものごとを流し見しない。足をぐっと踏みしめて、立ち止まる。「見つめる」「立ち止まる」「考える」と言葉にするとかんたんそうですが、周りの人や世の中の人たちを見ていると、「いちいち考える」ことがいかにむずかしいことなのかを感じます。

刺激も娯楽も多いし、仕事も家庭も忙しい。なにより、ちょっと面倒でしょう。「どうして自分はこんなふうに感じたんだろうなあ」「世間ではこう言われているけれど、なんだか違う気がするなあ」なんて考えなくても、生きていけます。

でも、「いちいち」ができるのとできないのとでは、ゆくゆくの幸福度がまったく違ってくると思うのです。

「いちいち」立ち止まって考えると、ほんとうのしあわせや大切にしたいものが見えてきます。他人や社会に与えられた価値観ではなく、自分の価値観で生きていける。おだやかな自信を持てるのです。

宗教の目的は己を救うことですが、エッセイを書くことは精神活動に近いのかもしれません。あるいは「小さな哲学」と言ってもいいでしょう。自分なりの真理を求めて粘り強く考え、内側を掘り、静かに「秘密」をさがすことで、自分を救うことができるのですから。

では実際に、エッセイを書きつづけることで、どんな「生き方」を得ることができるのか。どんなことを意識すると、エッセイストとして生きることができるのか。

つづく2章で、お伝えしたいと思います。

第2章

エッセイストという「生き方」

・「ドクター・ユアセルフ」

エッセイについてあらためて考えているタイミングで、ひょんなことからある言葉に出会いました。それが、「ドクター・ユアセルフ（Doctor Yourself）」。

同名の洋書で知った言葉ですが、出会った瞬間、心にあかりが灯ったような気持ちになりました。僕がこれまで考えてきたこと、してきたことに、すてきな言葉を与えてもらったなあと感じたのです。

「ドクター・ユアセルフ」――あなた自身の医者であれ。

この言葉を僕なりに解釈すると、自分を客観視して、コントロールすることで、ほんとうの意味で健康的に生きていこうということです。

身体で言えば、医者や薬、手術といった医療に頼りきるのではなく、日々の生活や食事、睡眠、運動といった自分の活動によって健康を維持する。

心で言えば、だれかがしあわせにしてくれると期待するのではなく、本を読んだり、おしゃべりしたり、はたらいたり、ほんとうに大切なものと暮らしたりと、日々の中に自分なりのしあわせを見つけることで健康を維持する。

つまり「ドクター・ユアセルフ」とは、自分の人生に責任を持ってよりよく生きていこうとする言葉なのです。

エッセイストとしての生き方は、こうした生き方にとても近いと感じます。この言葉について知れば知るほど、これまで無意識に「ドクター・ユアセルフ」してきたんだなあとしみじみ思いました。

自分を見つめつづけてきたから、どんなときに身体や心の調子がよく、どんなときにバランスを崩してしまうのかを把握できるようになった。

気づきを、日々の行動に落とし込むことができた。

その積み重ねで、自分にとってなにが大切で、なにがしあわせで、なにが豊かさなのかを理解できるようになった。

自分自身を深く知り、ケアという名の「ドクター・ユアセルフ」してきたことで、身体と心の健康を守れるようになったのです。

エッセイストとして日々考え、書くことは、マラソンに近いと感じます。

走りはじめたころは、とても寒い日や暑い日なんかは「ああ、いやだなあ」「大変だなあ」と思うこともありました。

けれど、自分を鼓舞して走ってみると、すっきりします。つづければコンディションもよくなります。もちろん体力や筋肉もついてきます。次第に、走らないと気持ち悪くなってくる。身体が思いどおりに動くことは、すべての活動のベースにもなっています。「はじめは大変だけど、やってみるといいこと尽くし」で、「なくてはならない存在になる」、そして「自分の基盤になってくれる」。

いろいろな点で、マラソンとエッセイはよく似ています。

「ドクター・ユアセルフ」できる自分になる。――これが、「エッセイストとしての生き方」のひとつのゴールと言えるかもしれません。

・人生の岐路で、正しく判断できる

「ドクター・ユアセルフ」ができるようになると、人生の分岐点でも冷静に歩を進められるようになります。

じつは2022年は、僕にとって大きな決断をした年でした。

2015年に『暮しの手帖』の編集長を退いてから、松浦弥太郎の名前で一生懸命にはたらいてきました。だれかのお役に立ちたいという気持ちからでしたが、正直なところ「もっとがんばらなければ」という気持ちもゼロではなかったのです。

そしてあるときふと、「このままいくと、なにもかもが経済活動になっていく」と気づきます。でも、そのとき湧いてきたのは、うれしさや誇らしさではなく「ほんとうにいいのか?」という気持ちでした。

そこで、いったい自分はどう生きていきたいのか、深く考えました。あらためて自分と向き合い、問うた。その結果、「人生において必要以上の経済活動をしない」と決め、その道をぱっと手放すことにしたのです。

この決断をするまで、実際に考えた期間はほんのわずかです。それができたのは、エッセイストとして日々を積み重ねてきたからこそ。ずっと考えつづけてきたからだと思います。

エッセイストとして僕は、たとえば「お金」や「投資」について考え、エッセイを書きつづけてきました。だから「お金や地位が最優先ではない」ということも、自分にとっての「ちょうどいい暮らし」がどんなものかもよくわかっていた。

また、人間の弱さへの理解も深まっていました。若いころは「お金ごときで自分は変わらない」と高をくくっていたけれど、人間というものを知れば知るほど「お金を持っても変わらずにいることはかんたんではない」と思うようになっていった。「僕もきっと悪いほうに変わってしまうだろうなあ」と素直に思えました。

人生の分岐点でエッセイストとして見つけてきた「秘密」たちをかき集め、どう生きるかを真剣に考えた結果、「自分の身の丈に合わない暮らしはしない」と決断できたのです。

いま、自分にとって心地いい豊かさを維持できていて、毎日がしあわせです。

エッセイストとして生きてきたことで、大事なときに自分で自分を守ることができた。「ドクター・ユアセルフ」を実践できたなあと感じています。

・全肯定で生きていく

「エッセイストとしての生き方」において、日々僕の心を落ち着かせてくれるのが「全肯定」の姿勢です。

自分に起きているすべてをそのまま認めること。意味や価値があると考えること。

この全肯定の生き方ができるようになると、自分にまとわりついていた生きづらさがほどけていきます。自分の中にネガティブな感情が生まれにくくなり、生まれてしまったネガティブな感情もすっと溶かせるようになるのです。

これまで僕は、さまざまな国や時代のエッセイを読んできました。テーマも筆致もさまざまですが、おもしろいことに、ほとんどのエッセイは最終的に「感謝」に行き着きます。

もちろん直接的に「ありがたいと思った」と書かれていることはほとんどありません。

でも、どんなに悲しいことやつらいことが描かれていても、結局は生の肯定、「ありがたい」が立ちあらわれてくるのです。


僕もそうです。暮らしの中で感情が動き、それをていねいに読み解いていくと、かならず感謝に行き着きます。「うれしい」「たのしい」といったポジティブな感情はもちろんのこと、「悲しい」「悔しい」などのネガティブな感情でも同じです。


こんなことを言うと悟りを開いているように思われるかもしれません。でも、違います。

「そう思おう」と努力しているわけでもありません。

「すべてのできごとには学びがある。だから、その学びに感謝する」ということなのです。

「なぜ、あの人のあの言葉にあんなにイライラしてしまったんだろう」というとき。

暴飲暴食して憂さ晴らしをしたくなるかもしれませんが、それは「考えるのをあきらめる」ということです。

ぐっとこらえて一度立ち止まってみる。相手ではなく自分に、静かに目を向ける。するとさまざまな発見があります。自分が許せないものをあらためて確認したり、子どものころの似た経験を思い出したり、あまりイライラしない人と自分との違いについて考えたり。だんだんと、自分への理解が深まっていきます。
「ああ、そうか」と思えることがひとつでもあると、プラスの経験になる。
「あのイライラのおかげで気づくことができた。いやなできごとだと思ったけれど、ありがたいな」と思えるのです。

事故に遭って骨折してしまったとしても、同じです。不自由な身体を持つ日々で感じたことや考えたことには、きっと発見があるでしょう。あるいは「死」について自分なりの考えが深まり、価値観ががらりと変わるかもしれません。

最終的には、「ありがたい経験だったな」と思えるわけです。

こうして「すべてのことに意味があり、学びがある」ということがわかっていくと、どんなにつらいことも、いやなことも、腹立たしいことも、ありがたいものとして肯定できるようになります。

さらにエッセイを書くことが習慣になっていれば、どんなできごとが起こっても「エッセイの種になる」と前向きにとらえられるようにもなるでしょう。あたらしい「秘密」を見つけることができそうだ、と。

だからこそ、まだ感情がたかぶっているときに書くのでは早いのです。

『今日もごきげんよう』（マガジンハウス）という僕のエッセイ集にある「夫婦喧嘩」という一篇。タイトルどおり、いま読むと笑ってしまうような日常の些細な喧嘩の様子がありのままに描かれています。

けれどその喧嘩の描写のみで終わらせるのでは、エッセイとは言えません。そこからコミュニケーションや夫婦関係について考えをめぐらせ、自分なりの発見に落とし込んで、はじめてひとつのエッセイになっていきます。

もし、腹を立てている最中や仲直りする前に「こんなことがあって腹が立って……」と書いていたら、なにも理解できないままで、感謝にまでたどり着くことはできなかったでしょう。落ち着いて考えたうえで筆を執(と)ったからこそ、「ありがたいな」と肯定することができたのです。

「全肯定」で生きる。

エッセイストは、いやなことも前向きに味わい尽くせる生き方なのです。

・「どんな人間になりたいか」を問いつづける

僕たちは子どものときから、「なにになりたいの?」と問われて生きてきました。宇宙飛行士、パティシエ、小説家……だれもが一度は聞かれたことがあり、そして聞いたことがあるかもしれません。

けれどこれは、ある種、とても残酷な問いです。

なぜなら「どんな仕事に就きたいの?」という問いとイコールだから。「夢を叶えることは正しい」「叶えられなかったら失敗」というひとつの価値観に子どもを縛りつけてしまう問いだから。生き方の自由を制限する問いだからです。

しかも、子どもは知らない職業を答えることはできません。ですから、その問いの答えは知っている仕事からの「選択」でしかないと言えます。

つまり僕たちはずっと、未来とはすでに世の中にある仕事から選ぶもので、選んだ以上は叶えなければ落伍者だ、というふうに刷り込まれてきたのです。


そこで、問いを変えてみましょう。

「あなたは、どんな人間になりたいですか？」

いかがでしょうか。考えたことがない、という人のほうが多いのではないかと思います。

この問いは、「人生のコンセプト」を聞いています。ほんとうはどう生きていきたいのか。人生でどんなことを実現したいのか。

なんとなくでもコンセプトの方向が見えてくると、日々の行動やものの考え方、選ぶものが変わってきます。行き当たりばったりに進むのではなく、北極星という指針を目指して力強く航海できる船となれるのです。

「チャーミングで周りをしあわせにする人間でありたい」といったコンセプトが見つかれば、そんな自分になるためにどんな選択をしたほうがいいか、どんな時間が必要で、どんな人間関係を持つといいのかが自然と見えてくる、というように。

僕は、自分のコンセプトを実現するために今日という一日がある、というふうにとらえています。「どんな人間になりたいか」を意識して生きるのと意識しないで生きるのとでは、まったく違う人間になることは想像に難くありません。

僕が「すてきだなあ」と感じる人たちからは、みなさん口に出さずとも「こういう人間になりたい」という思いを持って生きていることが伝わってきます。そのコンセプトがあっての生き方（働き方、ものの選び方、暮らし方、人間関係など）なんだろうなと感じるのです。

目指す「あり方」の姿はひとつかもしれないし、いくつもあるかもしれません。

いつ答えが見つかるかわからないし、ずっと見つからないかもしれません。

わからないけれど、さがしていく。答えらしきものが見つかっても、考えつづける。

そんな大きな問いを抱えることが、「エッセイストとしての生き方」の象徴と言えるでしょう。

ます。

「どんな人間になりたいですか？」という問いは、幼い子どもには少しむずかしいと思います。

それでも僕は、子どものころからこの問いになじんでおくことは大切だと確信しています。少なくとも「なにになりたい？」よりはずっと自由で、未来を大きく開いていく問いとなるはずです。

そしてすっかり自我が確立した僕たち大人は、この深く考えさせられる問いをいつも心に持っておくといいと思います。

「まず優しくはありたいな。……でも、『優しい』ってどういうことだろう」

「飽きっぽいし、常に変化しつづけている人間でありたいのかもしれない。……でも、それがコンセプトかというと、違う気がする」

粘り強く考え、自分への理解を深めながら、「これだ」と思えるコンセプトと出会うのを待つ。このプロセスが大切なのです。

ただしこの問いは、毎日1時間ずつ真剣に考えよう、というものではありません。週末を使って集中して考えてみよう、というものでもありません。

頭の片隅に置きつづけ、ときどき「こういうことかな」と気づきがあったタイミングで考えを深めてみる。長いスパンで自分との対話を繰り返すなかで、価値観への解像度がじわじわと上がっていくでしょう。


僕自身、ずっと「どんな人間になりたいのか」を考えながらエッセイを書いてきました。いままでもそうです。自分が見たり聞いたり経験したことを身体に取り入れ、どんな生き方をしてどんな人間になろうかと模索し、文章にしてきました。

そして50代。いま、僕は「自由」という言葉と向き合っているところです。とても惹かれる言葉ですし、「自由な人間でいたい、自由に生きていきたい」とはずっと思っているけれど、まだそれについて語る言葉を持っていないのです。まだ「秘密」を発見できていない。

おそらく僕のエッセイストとしての最終的なゴールは、「自由を語ること」になるのではないかと予感しています。

「自由とはなにで、自由な生き方とはどんな生き方で、自由に生きるためにはどうすればいいのか」という「秘密」を発見し、自分の言葉で語れるようになるまで。

これからも感じ、考え、書きつづけていくでしょう。

・生き方を「選ぶ」のではなく「つくる」

「成功」か「失敗」。「マル」か「バツ」。

僕たちは子どものころから、知らず知らずのうちにこの価値観に染まって生きてきました。テストから仕事、ライフイベントまで。これくらい達成できたら「よい」、これが達成できなかったら「ダメ」というように。

多くの人が、できればマル側の人間になりたいと思っていることでしょう。マルを目指してがんばってきた、という人も少なくないと思います。

しかしエッセイに正解はありません。

マルやバツの存在しない空間で思いを重ねていくのがエッセイであり、エッセイストとしての生き方なのです。

いま、一般的には生き方を「選ぶ」のがふつうです。

ある年齢になったら選択肢のカードが目の前に並べられて、「じゃあこの道を進もうかな」と一枚選ぶ。またある状況になったら選択肢のカードが並べられて、「ではこの人生を選びます」と手に取る。

そこに並べられた選択肢について「ここには自分が望むものがありません」でも構わないはずなのに、「この中でいちばん正解に近いカードはこれだろうか」とつまみ上げ、満足してしまうんですね。

本来、生き方は人それぞれ。みんな違ってもいいはずですし、自分らしい、発明のような生き方がもっとあってもいいはずです。

自分として生きることは、他人に頼れません。自分の人生に責任を持ち、人生を自由に決める。マルでもバツでもない、だれとも競わない、「自分の生き方」をつくる。

そんな「自立」した生き方を目指したら、もっと豊かになれる気がします。これこそがエッセイストのような生き方だと言えるのです。

「自立」の第一歩は、自分を「知る」にあります。

なぜ自分はこう考えるのか。なぜ自分はこれを好むのか。嫌うのか。

なぜ自分にとってこれがしあわせなのか。うれしいのか。悲しいのか。

——ひとつずつ自分への理解を重ねていくからこそ、自分に責任を持てるようになる。

自分として生きていける。自由になれるのです。

みんなとは違うことをしていても、「私はこうしたいんです」と言える。

「それはふつうじゃない」と言われても、「お気になさらず」と返せる。

こうした生き方は、大変かもしれません。道を切り拓いていく必要があるわけですから。

けれど、自分らしい生き方についてこつこつと考え、「選ぶのではなくつくろう」と意識しつづけることは、確実に人間の芯を太くしてくれるはずです。エッセイは、その助けになってくれるでしょう。

・「あんぽんたん」に生きる

エッセイストにとって、生き方は「選ぶもの」ではなく「つくるもの」だとお伝えしました。これは生き方だけでなく、日々の暮らしにも言えることです。

だれかのアイデアに乗っかるのではなく、自分で思いついたアイデアにわくわくする。常識や「そういうものだ」といった言葉に流されず、自分なりの答えを出していく。

エッセイストとは「アイデアと共に生きる自由なライフスタイル」と言えるでしょう。

僕は仕事でよく、「松浦さんはなんでそんな発想ができるんですか？」と言われます。どうやら僕のアイデアは、みなさんからすると思いもよらないものなのだそうです。

この問いに対して僕はいつも、「あんぽんたんだからですよ」と答えています。そして「いつ考えているんですか？」と聞かれたときは「ぼんやり、ずっと考えているんですよ」と答える。

あんぽんたんに、ぼんやり、ずっと考える――。

このスタイルが、いいアイデアを生み出すのです。

そもそも、アイデアとはどのようなものなのでしょうか。

アイデアは、「天から降ってくるもの」や「突然思いつくもの」ではありません。僕が思うには、過去の経験から生まれるものです。これまでの経験や知識、感情――つまり頭と心で受けた感動を心のストックから引っぱり出し、つないでいくことで生み出されていきます。

これはごく一般的な発想法で、一定のアイデアを生み出すことはできます。でも、どうしても過去の記憶ありきになってしまうんですね。ほんとうにあたらしい、思いがけないアイデアを生み出すのはむずかしい。

また、アイデアを考えるうえで知識を増やすのはいいことのように思われるかもしれませんが、じつはそうではありません。

たとえばあるプロジェクトを任されたとして、まずはその分野について調べていくでしょう。知識を詰め込んで、分析して、どんどん詳しく賢くなっていきます。

しかしそうすると、知っておくべきことだけでなく、アイデアの実現へのハードルの高さや大変さもインプットしてしまうのです。「こんなことができたらおもしろいかも」とひらめいても「いや、むずかしいな」とすぐにあきらめるようになってしまう。

では、どうすればすてきなアイデアを出すことができるのか。

僕は、鮮やかなアイデアとは「赤ちゃんの発想力」にあると思っています。知識にじゃまされず、無防備で本質的。未来だけを見据え、「絶対にできる」と素直に信じ、実現に向かうパワーを惜しみません。

アメリカの起業家であるイーロン・マスクは「赤ちゃんの発想力」の持ち主のようです。彼は電気自動車のテスラのCEOを務め、これまでにない自動車を世に問いつづけていますが、じつは自動車についてはまったく詳しくないそうです。ただ無邪気な子どものように、電気自動車のある未来を描き、それに向かって行動しただけなのでしょう。

彼がトヨタやホンダといった自動車メーカーの出身で業界に詳しい人だったら、むしろ実現への道のりの険しさがリアルに想像でき、「やろう」とは思えなかったかもしれません。

もうひとつ、「赤ちゃん」の例を挙げたいと思います。

以前、出版業界の方に「どうすれば雑誌はまた盛り上がると思いますか」と聞かれたことがありました。いま、雑誌の未来は暗いと言われています。情報はスマホで得ることができますし、データを見るとたしかにそう思えるかもしれません。

しかし僕は「赤ちゃんの発想」で、こんなアイデアを考えました。

スマホのいちばんの弱点は「ヘルシーではない」ということです。でもこれから先、健康志向はさらに高まっていくでしょうし、すでにスマホにコントロールされた日々に疑問を抱いている人、脳や生活への悪影響に気づいている人もいるでしょう。

その「スマホは身体に悪い」という空気が高まりきったら、もしかしたら「スマホを捨てよう」という運動が起きるかもしれません。「人間に戻ろう」というようなスローガンを掲げて、みんながスマホを放り出すかもしれない。

そのときにまた、「雑誌は時間をかけて自分のペースでたのしめるし、手ざわりがあってヘルシーだよね」という流れになる未来もありえるだろう。

だから若い人たちに「こちらの世界は健康的だよ」と誘いかけつつ、そのときに備えて虎視眈々と準備してはどうだろうか。――そんなふうに「赤ちゃん」は考えたわけです。

これまで、こうした夢物語をたくさん描いてきました。おもしろいことに、その多くが現実のものになっています。

僕がこんなふうにアイデアを自由に描けるのは、エッセイストとして過ごしているからです。

日頃から「このまま人間はスマホを持ちつづけるんだろうか」とか「健康的とはなんだろう」といった問いを持ったり、「スマホを手にする前といまの自分では、どんなふうに変わっただろうか」と考えたりしていた。そのなかで「スマホが嫌われる未来もあるかもしれないなあ」と想像を転がしていた。

ですので、「意見をください」と言われたときに、常識から遠い、自分だけのアイデアがするすると出てきたのです。

イーロン・マスクや雑誌の未来といった大きな話をしましたが、日々の暮らしや人生についても同じです。

オリジナルのアイデアを考えるクセがつくと、わくわくして退屈しません。それを人に伝えて感想をもらうのもたのしいし、僕自身、その人ならではのアイデアを聞かせてもらうのがとても好きです。

いまは、たくさんの情報をかんたんに手に入れることができます。その影響でしょうか、ほかの人の意見を自分の考えのように話す人も少なくないようです。

インプットしただれかとだれかの意見をツギハギしてアウトプットすると、すぐに「それらしい」ことを言えます。賢くなった気分になれるのかもしれません。

けれど残念ながら、そういう人の話を聴いても、「おもしろいなあ」と思ったり、はっとしたりすることはありません。話している本人も、そこにほんとうのよろこびはないはずです。そんなことに時間を費やしているのはもったいないように思います。

ときに名案だとおどろかれることもあるし、とんちんかんだと思われることもある。

でも、現実（すでにあるもの）から離れたアイデアを頭の中で転がしていくエッセイストの営みは、なによりも自分がわくわくできる、最上のひとり遊びでもあるのです。

・計算しないで生きる

「タイパ（タイムパフォーマンス）」という言葉があります。時間対効果、つまり「かけた時間に対してどれだけの成果があったのか」という意味の言葉です。

「コスパ」という「費用と効果」を対にした言葉から、「時間と効果」を対にした言葉へ。お金よりも時間。いまを生きる人たちがどれだけ多くの消化しなければならない情報（サブスクリプションの動画サービスやＳＮＳなど）とつきあって生きているのかを、実感します。

ただ個人的に、この感覚はとても近視眼的なもので、あまりとらわれないほうがいいのではないかと感じています。

「タイパ」という言葉の根っこには、すべてが計算できるという考えがあります。でも、計算できないところにこそ人生のおもしろさはあります。そもそもすべてのことが計算できる、というのも傲慢な気がします。

より効率よく生きようとする姿勢は、人をつまらなくします。むだや余白があるからこそ、自分の内面が豊かになっていく。

数年後や数十年後、タイパを重視した生き方とそうでない生き方でどちらがリターン（この言い方は好きではありませんが）が大きいかというと、皮肉なことに後者でしょう。計算された営みは、結局、小粒なものしか生み出さないのです。

ではエッセイストはどうかというと、とてもタイパの悪い生き方と言えます。考えている途中はなにも生み出していないように見えるし、3時間かけて書いたものでなにか得られるかというと、その時点でははっきりとはわからないわけですから。

でも、じわじわ効いてくる。半年、1年、3年、10年と月日を重ねるなかで少しずつ、自分の思考というプロセスの経験則による人間力が増していくことを実感するのです。

以前、あたらしい陸上イベントをある国で行うということで「松浦さん、いらっしゃいませんか」と声をかけていただいたことがありました。いろいろな選手と話せるということもあり、そもそも走ることが大好きな僕は「ぜひ、行きます」とふたつ返事でお答えしたのです。

ところがその後、イベント自体が手弁当ということで、移動も滞在も自費でお願いしますと言われます。往復で4～5日はかかるうえに、報酬が発生しないばかりか逆にお金がかかる。「タイパ」は、お世辞にもいいとは言えません。こういうとき、「自費なんてとんでもない」と呆れたり怒ったりする人もいるかもしれません。

僕はよろこんで行きました。きっといい出会いがあるだろうと思ったし、あたらしい体験ができるだろうと考えたからです。きっと心が動くだろうと。

大きなリターンなどは、期待していません。自分がわくわくできたり、エッセイの種や引き出しができたりしたら、それでじゅうぶんだと思ったのです。

こういうことは、たくさんあります。お金にもならないし、仕事にもならないようなことに時間を使ったり、ときにお金を投じたりして、自分でも「大丈夫かなあ」と思うこともありました。

振り返ってみると、一見ソンをするような選択はいつだって僕にたくさんの大切なことを教えてくれました。どっちがトクだろうとか、こうすればソンしないといったことにとらわれずにいられるのも、エッセイストが感じられる豊かさのひとつです。

こんなお話をすると、「松浦さんはいつも世の中と逆のことをしていますね」と言われることがあります。たしかにそうかもしれませんが、「あえて逆をいこう」としているのではありません。

社会に飼い慣らされた家畜のように生きないよう、大切なものを守るためにしている行動や思考が、たまたま「逆」になっているのだと思います。

自分にとっての大切なものや心地よさを考えつづけたい。その答えを、行動にもあらわしていきたい。

そうすることで、うそ偽りなく満たされた気持ちになれるはずだと信じているのです。

・おだやかに生きる

ただでさえ騒がしい世の中ですから、感情が悪い方向にたかぶったり、そわそわと心が落ち着かない時間はできるだけ減らしたいものです。

そのような状態は心地よくないから、という理由ももちろんありますが、不安定になった心は「いつもはしないこと」をして元に戻ろうとしてしまうからです。

お酒をたくさん飲む。おいしくて高カロリーなものを食べる。買い物してお金を使う。

これらの逃避は、負のエネルギーを使います。健康を害したり、罪悪感を抱いたり、自分にがっかりしたり。かえって気持ちがざらざらしてしまいます。

そうならないためにも「予防」が大切です。つまり、日頃からおだやかさをなるべく保つ。悪いほうに心が傾いたり、不安定になったりする回数を減らしていくのです。

では、おだやかでいるためにはどうすればいいでしょうか。

「安心する」ことです。人は、安心しているときの心がもっともおだやかです。追われることも心配ごともなく、手足を大きく広げてリラックスする感覚。

そして「安心する」ためには、自分に必要なことを「把握できている」ことが大切です。不安とは「知らない」「わからない」から生まれるものですから。

自分のこと、将来のこと、仕事のこと、社会のこと――。あらゆるものごとに対してきちんと「わかった」状態でいると、人は無闇に動揺しなくなりますし、なにかが起こったときにも冷静な判断ができます。

もちろんいろいろなことをすべて把握することはむずかしい。けれど、せめて自分にとって大事なことは把握しておこうと心がけるといいでしょう。

お金に対して落ち着かない気持ちになるのであれば、それは自分の資産やちょうどいい暮らし、必要なお金などが把握できていないからです。まずは自分にとってお金とはなにか、どんな暮らしをすると心地いいのかと考えていく必要があります。

「仕事」でも同じです。

いまの仕事はだれをしあわせにしているのか。どれくらい感謝されて、どのくらい感動させているのか。自分の人生になにをもたらしているのか。

こういうことがわかっていないと、すぐに心が揺れてしまいます。地に足をつけてはたらけなくなる。すべてわからなくとも、把握しよう、理解しようと努めることが安心につながるのです。

生活についても、人生についても、社会についても同じです。少しでも「把握している量」を増やしていければ、不安は減っていきます。

ですので、自分や心が動いた対象について深く知ろうとするエッセイストは、おだやかに生きることができるのです。

もちろん、把握していれば毎日100パーセントおだやかにいられるかというと、そうではありません。僕も「揺らぐ」ことはまだまだあります。自分がどれだけ把握しようと心がけていても、いやなことや心乱されることは、どうしても起きてしまいます。

そういうときはまず、お酒や食べ物、浪費といった一時的な快楽に逃避するのをぐっとこらえます。そして、「これだけいやな気持ちになっているということは、きっとすばらしい学びがあるだろう」と全肯定でとらえ直してみます。

「ありがたい」の気持ちで、心乱された対象と向き合う。

そうすればじきに、フラットな自分に戻ることができるはずです。

・「いい言葉」を使う

おだやかに生きるためには、言葉づかいを意識するのもひとつの方法です。言葉は、人生を左右するくらい大切なもの。言葉づかいを整えることで、日々をおだやかに過ごせるのです。

「言葉づかいを整える」とは、決して上品で美しい言葉を使いましょうということではありません。

もちろん省略言葉や相手が萎縮するような乱暴な言い方はよくありませんが、とくに大切なのは言葉の中身。人の悪口や愚痴、「できない」「無理」といったネガティブな言葉は使わないようにしようということです。悪い言葉を使うと感情が悪い方向にたかぶり、気持ちのコントロールを失いやすくなってしまうのです。

言葉づかいとは心づかい。自分の心があらわれるものです。

よく「言霊（ことだま）」と言いますが、僕も「言葉」は回り回って自分に返ってくるように感じます。ですから、だれかとふつうに話すときにも、文章を書くときにも、なるべく「いい言葉」を選ぶようにしています。


耳にうれしい言葉を使うことは、自分の心と暮らしを守ってくれます。

「ありがとう」と感謝する言葉や人をほめる言葉、安心させる言葉、優しい言葉。

ポジティブな言葉を使うように意識するだけで、ふしぎなほどおだやかな気持ちで過ごせるようになります。心身のコンディションがよくなって、さらにポジティブな気持ちになる。これも、「ドクター・ユアセルフ」の一環かもしれません。

日々おだやかであるために、今日から取り組めるのが言葉づかい。

ものごとを把握するのには、それなりに時間がかかります。まずは口から出そうな「悪い言葉」を飲み込むことからはじめてみてはいかがでしょうか。

・好奇心で見つめて、見つける

ものごとには、かならず隠されている本質がある――。

これは僕の持論で、「秘密」のひとつです。なにが隠されているかさぐるのは、もっとも心躍る時間。きらりと光る本質を見つけたいと、いつも思っています。

そんな「隠されている本質」を発見するためには、「見つめる」時間が欠かせません。「いったいどんなものが隠されているんだろう」という意識を持って「見つめる」のと、ただ「見る」のとでは、視線の解像度がまったく変わってきます。

エッセイストの生き方は、身体の目と心の目を使う生き方なのです。

映画を1本観るのでも、ただ物語をなぞるのではなく自分なりの「視点」で、たとえば「このシーンはどんな意図で撮られたんだろう」と想像力をはたらかせる。脚本家は、なぜこのセリフを書いたのだろうと考える。細部を、裏側を、別の角度から見つめる。あきらめずに粘っていると、必ず発見があります。

僕はいつも、ものごとをさまざまな角度から見つめられる人間でありたいと思っています。そのためにも、好奇心を持ちつづけたいと。

好奇心というと、いろいろなことに広く興味を持つことをイメージするかもしれません。たしかに、好奇心がなかったらそもそも「ここにはなにが隠されているんだろう？」と興味を持つこともないでしょう。

けれどほんとうの好奇心とは、関心を「寄せつづける」こと。長いあいだ、その対象と関係することです。

好奇心があれば、本質を知りたいという気持ちはおのずと湧いてきます。そして、湧きつづけていきます。一瞬だけ興味を持ってすぐに飽きてしまうのではなく、問いを持ちつづけることができる。これは人間関係にも言えることです。

そんな「ほんとうの好奇心」がなにに反応するかを、見逃さないようにしてください。

自分の中に好奇心があることは、どれだけ財産を持っていることよりもはるかに人生を豊かにしてくれます。考えたいことや気になることがたくさんあって、毎日あたたかい気持ちで「これはどういうことだろう?」と心躍りながら生きていける。

エッセイストとは、好奇心と共にある生き方と言えるかもしれません。

好奇心由来のおだやかなわくわくが、自分を整えていく。

「ドクター・ユアセルフ」につながっていくのです。

第3章 書くために、考える

・考える、を考え直す

先に、エッセイを書くことの全体を10としたら実際に手を動かして「書く」のが3、「自分の心と向き合うこと」や「考えをめぐらせること」が7だというお話をしました。言い換えるなら、技術が占める割合はせいぜい3割にすぎず、7割は文章にまとめるまでの「心と頭のはたらき（暮らし）」で決まるということです。

本章では、この「考える」についていろいろな角度からお話ししたいと思います。どうすれば考えられるのか。どんなふうに考えていけばいいのか。考えるためになにをすればいいのか。そして、なにをしないべきか。

書くために欠かせない、「エッセイストのように考えるコツ」をお伝えします。

エッセイストにとっての「考える」という行為は、机に向かって「うーん」と頭を悩ませるのとは違います。仕事のように、課題を解決するための頭の使い方とも違います。計算式を解くように考えるわけでもありません。頭がいい、悪いは関係ありませんし、論理的である必要だってないのです。

なぜならエッセイストにとっての「考える」とは、もっと感覚的な行為だからです。考えるとは、自分の「大切」と対話すること（暮らしそのもの）。

つまり自分にとって大切なもの、大切なことについて、もっと深く知ろうとはたらきかけ、感じようとすることです。

「対話」と聞いて、首をかしげる人もいるかもしれません。でも、美術館を訪れたときのことを思い出してほしいのです。優れた絵画や彫刻は、僕たちになにかを訴えかけてきます。芸術とはなにか、美とはなにか、愛とはなにか、戦争とはなにか……そんな問いを投げかけられたように感じたことがある人もいるでしょう。

これは、芸術にかぎった話ではありません。

日常の中にある「大切なもの」や「大切なこと」もまた、僕たちにさまざまな問いを投げかけてくれます。

ヨーロッパ旅行で購入したアンティークのマグカップ。

大切に扱い、じっと眺め、そのマグカップが歩んできた道に思いをめぐらせていると、問いを投げかけられます。豊かな暮らしってなんだろう、美しさってどういうことだろう、と。

「瑞々しくて美しいなあ」とほれぼれして買った野菜からは、「健康的ってどういうことだろう?」という問いが。20年以上手元に置いている本からは、「何度も読む本ってどういう本だろう?」という問いが投げかけられます。

そうした「大切なもの」からの問いかけに真摯(しんし)な気持ちで向き合い、自分らしい答えを導き出そうとする行為こそが「考える」ということです。

僕はそうして考えたことを、残りの3割の力を使ってエッセイという文章にしています。愛していることやものについて、とことん文章で語るのです。

「エッセイストのように考える」は、その人の暮らしそのものであり、生き方が問われる話でもあります。さまざまなものを粗末に扱い、無関心で、いい加減な気持ちで生きていたら、いい問いは生まれてきません。

一方でものを大切にして暮らしていると、それだけでいい問いに恵まれるし、考える時間にも恵まれます。

大切なものと感じる心、答えが見つかるまで粘る胆力があれば、じゅうぶんに「考える」ことができるのです。

ただし一度「答えらしきもの」にたどり着いたとしても、それはゴールではありません。たとえば僕は本書で「エッセイとはなにか」という問いに対して自分なりの「秘密」をお伝えしていますが、これで考えるのをやめるわけではないわけです。

もっと違う答えがあるのではないかとずっとさがしつづけるのが、「エッセイストの考え方」です。


エッセイストは、むずかしい思考法を知らなくても構いません。考えようと肩に力を入れる必要もありません。

「考える」の入り口にあるのは、とにかく好奇心という感性です。ことやもの、あるいは人を愛したり、大切にしようとする心があれば、考えることはできます。「考える」とは、みなさんが思っているよりもっとライトで、もっとたのしくて、もっと心地いいものなのです。

・「感じたこと」から考える

1章ではエッセイの中核となる「秘密」という言葉を紹介しました。「自分で見つけたものの見方や思考、価値観」のことで、この「秘密」はオリジナルなものであること——自分やほかの人にとっての発見であること——がとても大切でした。

この章ではその「秘密」を手にするための「考える方法」についてお伝えしていくわけですが、はじめに心に留め(とど)ていただきたいことがひとつあります。

なにかを考えるために特別な体験や人とは違う過去は必要ない、ということです。ドラマのようなできごとが起きなくても、たとえば外国の風を浴びなくても、自分だけの「秘密」をつくることはできます。エッセイは書けるのです。

現に僕は、コロナ禍でずっと家にいる日々であっても「書く」という行為が途切れたことはありませんでした。もっといえば、エッセイを書きはじめて20年超、「今日はどんなことを書こう」とか「書くことがなくて困る」と頭を悩ませたことが一度もありません。「書くことに困ることがない」とは「秘密が見つからないことがない」ということ。日々「まだこんな秘密があったのか」とおどろくばかりです。

「秘密」が尽きないのは、いつも何かを考えているからです。毎日の暮らしの中にある感動を見逃さず、その都度ぴたっと立ち止まり、心の動きを追いかけている。「秘密」とはいきなり立ちあらわれるものではなく、「はっ」としたことを「考える」ことによって生まれてきます。

前項でも書いたように、「考える」ためには先に感じたり、気づいたりする必要があります。感性があるから、考えることができる。

暮らしをよく見つめると、感情が動くできごとに満ちています。

食事、景色、音、植物、変化したもの、不変のもの、生活の知恵、人とのかかわり。うれしい。わくわく。悲しい。どうして！　がっかり。緊張。愛しい。おもしろい。すごい。どうして。あれ？

冷蔵庫の中でダメにしてしまった野菜ひとつから思考がふくらみ、1本のエッセイになるようなことはたくさんあります。素朴で取るに足らない日々の中に、書くべきものはたくさんあるのです。むしろエッセイを書こうとすることで、宝物を探す日々を送れます。自分に対して、高感度のアンテナを張る。凪いでいた心が小さくでも動いたら、「どうしてだろう？」と立ち止まってみる。

それが「秘密」の手がかりになるはずです。

「会社で先輩から豆大福をもらった。とてもうれしかった」というできごと。これは、そのまま書けば2行で終わってしまう「日記」です。エッセイではありませんね。

そこで、「うれしい」という感情からもう一層、二層と深いところをさぐってみるのです。「なぜ自分はそう感じたのだろう？」と、自分に問いかけていく。もしかしたら、忘れていた記憶がよみがえるかもしれません。そうすることで「秘密」が見つかり、日記からエッセイへと近づけます。


豆大福をもらうと、ほかのお菓子よりもうれしい気持ちになる。

そういえば、どうして自分は豆大福がこんなに好きなんだっけ。

そうだ、子どものころにおばあちゃんの家に行くと、いつも和菓子を食べさせてもらってたんだ。

おばあちゃんはいつもにこにこ優しくて、はたらき者だったなあ。

そういえばおばあちゃんの畑作業を見ながら豆大福を食べたことがあって、あのときの風は最高に気持ちよかったな。

そうか、だから自分にとって豆大福は、尊敬と愛情の証なんだな。

僕はおばあちゃんにはじめて「尊敬」を教えてもらったのかもしれない。

この「尊敬」の原体験は、僕にどんな影響を与えているのだろう。

こんなふうに、自分の「秘密」を発見したり、あらたな問いにたどり着いたりできるのです。この気づきが書かれたエッセイを読んだ人も、自分にとっての「豆大福」はなんだろうとか、「尊敬の原体験」はなんだろうと考えるでしょう。

この豆大福のエピソードのように、記憶や意識の表面から消えてしまった大切な過去は、だれにでもたくさんあるはずです。でも、意識は忘れていても、感情はふしぎとそこに反応します。

反応したら、そこを起点にして自分をさぐっていく。「心のふた」を開けていく。縁に手をかけ、ゆっくりと、少しずつ。箱いっぱいに詰まった自分の人生から、底のほうに沈んでいる「なぜ」の理由を手さぐりで見つけていきます。

心のふたは、それ自体が重たいものです。開けてみても中にはさまざまなものが詰まっていて、探しものはなかなか見つかりません。

しかし、しつこく「なぜ」「どうして」と考えていくと、子どものころの記憶だったり、自分をかたちづくったきっかけのできごとだったり、自覚していなかったものの見方だったり……さまざまな「秘密」が見つかることでしょう。

もちろん「秘密」は、自分の過去にばかりあるわけではありません。ただ、この自分の過去から「秘密」をさぐる考え方は、だれにとってもとっつきやすい方法です。「秘密」を見つけるファーストステップとして、ここからゆっくりとスタートするといいのではないでしょうか。

・すぐに決めつけない

「秘密」の発見は、かんたんなことではありません。慣れるまでは、感情が動いたことに気づき、立ち止まることすらうまくできないでしょう。これまでまったく使ってこなかった心や頭の筋肉を動かすようなものですから、当然です。

それでも「エッセイストのように思考してみたい」というみなさんに、すぐに実践できそうなポイントをひとつご紹介します。

「第一印象で決めつけないこと」です。

実際のところ、第一印象は正しいことも少なくありません。でも、一度自分の中で「確定」してしまうと、その目線から抜け出るのがむずかしくなってしまいます。

ですからまずは、心の中の「確定ボタン」を押さずにいったん保留にする。そのあと、時間を置いたり何度も接したりしてよく考える。吟味する。その結論に納得できたら、ようやく自分の答えとします。

どんなに意地悪そうな人に出会っても、「性格の悪い人だな」「あまり好きじゃないな」「お近づきになりたくないな」とシャッターをおろさない、というようなイメージです。

今日に限ってなにか事情があるのかもしれないとか、自分にはまだ見えていない魅力的なところがあるはずだと考え、決めつけずに保留にする。

また、たとえば友だちから投資の話を聞いて、反射的に「自分には関係ないなあ」と思うようなこともあるでしょう。

そういうときも「ホントにそうかな?」と、いったん立ち止まる。どうしてそう感じたのか考えたり、お金についての知識を棚卸しする時間をしっかり取ってから、スタンスを決めます。自分以外のことも自分についても、決めつけずに「待つ」のです。

０でも１００でもない、白でも黒でもないところに自分を置いておくのには、胆力が必要です。「まだわからない」という状態は不安定で、早く結論を出してしまいたくなるでしょう。

「決めつけない」ことは、「考える」の可能性を狭めないことにもつながります。エッセイストのように生きるうえで、大切な姿勢です。

ぱっと見でジャッジしてしまいそうになったら、「決めつけない」と唱える。「ふわっ」とさせておくのも時には大切なのです。

意識すれば、すぐに実践できると思います。「第一印象は保留」を、まずは習慣づけてみてください。

・わかるまで見つめつづける

「秘密」を見つけるまでには何カ月、何年という長い時間がかかることもあります。まったく見つからないこともあるし、思考の変化を感じられないこともあります。

それでも大切なのは、「わかるまで見つめつづけること」。

なにかを発見するまで粘り、待ち、考えつづけることです。あきらめない。言葉遊びのようですが、見つかるまであきらめなければ、かならず見つかりますから。

「見つめつづける」は、毎日のように一生懸命考えるのではなく、「頭の片隅に置いておく」感覚に近いです。興味があるテーマだからつい考えてしまうけれど、眉間にしわは寄せない。のんびりとずっと考える。

そうしていると、じわじわと自分の中に答えが浮かび上がってきたり、だれかと話したりなにか本を読んだりしたときに「あ、そういえば」とひらめく瞬間がおとずれるのです。

「見つめつづけること」という点で尊敬している知人がいます。彼女はセンスがよくて、とてもおしゃれな人です。

ずいぶん前のことですが、その人に「どうしてそんなにおしゃれなんですか」と聞いたことがあります。するとその人は、「若いころはおしゃれさんからはほど遠かったんですよ」と笑いながら答えてくれました。

昔、その人の服装は決しておしゃれではなかった。センスもなかった。でも、とにかくおしゃれな人を見るのが好きだったそうです。街でおしゃれな服を着ている人やすてきなセンスだなあと思う人を、いつも目で追いかけていた。

しかもただ「見る」だけでなく、「あのデザインがすてき」「あの人の服はここがおしゃれなのね」というふうに、じっと「見つめて」いたのだそうです。

ぱっと見ではわからないけど、じつはこのディテールが美しい。あのアイテムに、こんな使い方があるなんて。このサイズ感で着るとすてきなんだな。

——ひたすら見つめつづけたことで、そういう気づきをたくさん得ることができた、と言っていました。

つまり、おしゃれな人を見たときに「どうしてすてきなんだろう?」とそこに隠されている本質を見つけるのが習慣になっていたのですね。その気づきが自分の中に蓄積されていき、自然と自分でも体現するようになっていった。そしていつしか人から「あなた、おしゃれね」と言われるようになったのだとか。

彼女にしたら、興味のあるものを見つめていただけでしょう。けれど見つめつづけることで、少しずつ「わかって」いった。

「見つけよう」とする人が見つめつづけることでしか見つけられないものに、到達したのです。

なにかについて「知る」ではなく「わかる」と、自分が変わっていきます。ものの考え方や見方、生き方、暮らし方までも、だんだん変わってくる。変わることはたのしいことですし、その過程でもまた心は動き、「考える」を後押ししてくれます。

なにより、「わかった！」という感覚は、たまらなくうれしいもの。

「見つめる日々」の、醍醐味（だいごみ）です。

・寝る前の３つのメモを「考える種」にする

僕は毎日寝る前に、その日の「よかったこと」を３つ思い出して手帳に書くようにしています。起こったできごとやエピソード、そしてそのとき抱いた感情をかんたんに書いて、しあわせな気持ちで眠りにつくのが日課です。

・2月なのに窓から差し込む日差しがぽかぽかあたたかった。
・時間があったのでゆっくり出汁を引いてみたら、お味噌汁がおいしくできた。
・仕事相手の◯◯さんからのメール。思わぬ気づかいがうれしかった。

これくらいの分量で構いません。

じつはこの習慣は、以前、睡眠障害になったことがきっかけではじめたものです。

僕はある時期、自分のキャパシティ以上にたくさんの、そして大変な仕事を受けてしまい、ストレスでよく眠れなくなってしまいました。

寝ようとしてもいろいろなことが頭に浮かんできて、目が冴える。いったん眠れても、頭がはたらいてすぐに目が覚めてしまう。睡眠がまったく足りず、日々の生活にも支障が出てきてしまい、どうしたらいいんだろうと頭を悩ませました。

気ばかり焦り、余計に眠れない日々がつづくなかで、「なぜ仕事が忙しいからといって睡眠障害に陥ってしまうのだろう」とあらためて考えてみました。なにが妨げになっているのだろうかと、自分を見つめてみた。

すると、ベッドに入ってからいやなことや心配なこと、不安なことといった「悪いこと」ばかりをぐるぐる考えてしまうからではないかと気づきます。ネガティブな思いに支配されてしまうから、おだやかに眠りにつけないのではないかと。

「だったら、たのしいことを考えて、しあわせな気持ちで眠ったらいいんじゃないか」

そう考えた僕は、寝る前に今日あったよかったことを思い出し、どう思ったかを書くことを日課にしようと決めました。

どんなに忙しくても、「最悪な一日だった」と思っても、ポジティブに心がはたらくことは1日に3つはあるだろう。そんなふうに予想してはじめたこの習慣ですが、まさにそのとおりでした。実際取り組んでみると、ほんとうに些細なことだとしても、「よかった」ことは毎日かならず、いくつも起こっていたのです。

そうして「よかったこと」を3つ書き、満たされた気持ちでベッドに入るようになってから、またふしぎなくらいよく眠れるようになりました。

自分の心を落ち着かせてくれるうえに、感謝の気持ちで一日を終えることができるこの習慣は、睡眠障害を克服したいまでもずっとつづけています（自分で編み出したこの方法ですが、後日、「実際にセラピーとして使われている手法だ」と教えてもらいました。ポジティブ心理学では、寝る前に「よかったこと」を書くことで幸福度が上がるという研究もあるようです）。

そしてもうひとつ。この習慣は、ただ心が安定するだけではありません。

「毎日、エッセイの種を3つメモする」ことになるのです。先ほどの「豆大福」のように、ポジティブな感情の動きをきっかけに生まれた「考えるテーマ」を書き残している。

豆大福をもらった話から「なぜこう感じたんだろう」と考えを深めていくのと同じように、日々の「よかったこと」から「なぜ」を深めていく。すると、毎日のようにあたらしい、感謝にあふれたエッセイが生まれていくというわけですね。

ときどき「書くことがなくてエッセイをつづけられない」という人に相談されることが

ありますが、「書くことがない」のではなく、「忘れてしまっただけ」ということは少なくありません。そういう方はぜひ、この方法を試してみてください。

「書くことがない」は、日々の観察と記録によって解決するはずです。

・手帳とペンを持ち歩く

僕は常に手帳とペンを持ち歩いていて、気になったことはすべて手書きで残しています。

たとえば友人たちと食事をするとき。ほとんどみんなポケットにスマホを入れているか、テーブルの上に置いて談笑しています。なにかあったらスマホを取り出し、さっと連絡を返したり調べものをしたり。ここ10年で、すっかりあたりまえになった光景でしょう。

けれど僕はスマホをかばんにしまい、手帳とペンだけをポケットに入れておくようにしています。そしてだれかがいい話やおもしろい話、いまの自分にとってヒントになるような話をしてくれたら、すかさず手帳に書き残すのです。

スマホにメモするのではいけないのだろうか、と思われるかもしれません。これは個人的な好みもありますが、スマホのメモ機能はあまり「蓄積」に向いていません。もちろん言葉を残すことはできるけれど、見返そうと思いづらい。それは、情報として残るものが少ないからです。

一方で手帳は、ページを開くとそのときの気持ちや情景をありありと思い出せます。筆圧、下線や囲みなど、デジタルの文字よりもたくさんの情報を残せる。手指に、書いたときの感覚が残っているような気すらします。

「ああ、ここはユニークな話を聞いて興奮したんだな」と手に取るようにわかるのはほほえましいですし、見返したときに一瞬でそのときに戻れる感じがするのです。

だれかと話すときだけではありません。歩きながら「はっ」と気づいたことや浮かんだアイデア、仮説などは、いったんすべて手帳にメモします。「たいした考えじゃないかもしれない」と思っても、その時点では取捨選択せずに、とりあえずすべて書いておきます。このメモは、だいたい1日に1ページくらいになるでしょうか。

朝起きたとき、「カーテンから透ける光で天気がいいことがわかるのは、天気予報で晴れを知るよりもうれしいな」と思ったら、それをそのまま枕元に置いてある手帳にメモします。その気づきはいつかエッセイになるかもしれないし、ならないかもしれません。でも、心の動きをいったん自分の字で残すことに意味があるのです。

僕はこのなんてことのないメモが2〜3個増えるだけでも、日々の充実感を得られます。会食でも友人とのおしゃべりでも散歩でも、メモがひとつ増えたらそれだけで「よかったなあ」と思えます。

文字にして残すと安心して忘れることができるのも、メモのいいところです。メモを見れば「あのときはこうだったな」と思い出せるから、頭をからっぽにできる。いろいろなことに好奇心を持つためにも、「視点」を自在に変えるためにも、頭のスペースは広く空いているほうがいいのです。

もうひとつ、手書きのいいところは「動きがある」ということです。

手書きの文字は「考えるための素材」であり、まだ「生きている」感じがします。連想したり、書き加えたり、否定したりして、かたちを変えていくことができる。その変化を追うことで、さらに考えを深めることができます。「未完成」のまま、長い時間軸で考えることができるわけですね。

一方で、パソコンやスマホを使って画面に打ち出してしまうと、そこで考えが固定されてしまう感覚があります。完成した「情報」になってしまうような、それ以上なにも広がらないような感覚。ですから、考えを深めるときやアイデアを広げるときは、手帳とペンを使います。

手書きのメモをもとにエッセイを書くときはパソコンで打ってきれいに整えていきますが、それは最後の仕上げ。

「考える」までは、身体を使うのがいいのです。

誤解されることも多いのですが、僕は決してアナログな生活をすすめているわけではありません。スケジュールはすべてスマートフォンのカレンダーに入れていますし、デジタルならではの便利さの恩恵もたくさん受けています。

それでも「書く」という営みは、どうしてもデジタルには代替できないものだと感じています。

最近は「パソコンばかり使うから、なかなかペンで字を書く機会がない」という方も増えています。でも、手帳とペンを使ってみると、あきらかに頭の使い方が違うことがわかります。To Doリストを手書きでつくるだけでもよいのです。

身体を使って書くことで、「考える」の深さや長さも変わっていく。このたしかでふしぎな体験を、ぜひ味わっていただきたいと思います。

・マインドマップで自分を整理する

僕はアイデアを広げたいときや考えを整理したいとき、まっしろな紙にマインドマップ（次ページ）を書くようにしています。こういう作業のときも、やはり手書きがいいのです。

真ん中に考えたいこと（テーマ）を置いたら、自分の中にいる、もうひとりの小さな自分に登場してもらいます。そして、その言葉やテーマについて、どんどん聞いてもらいます。

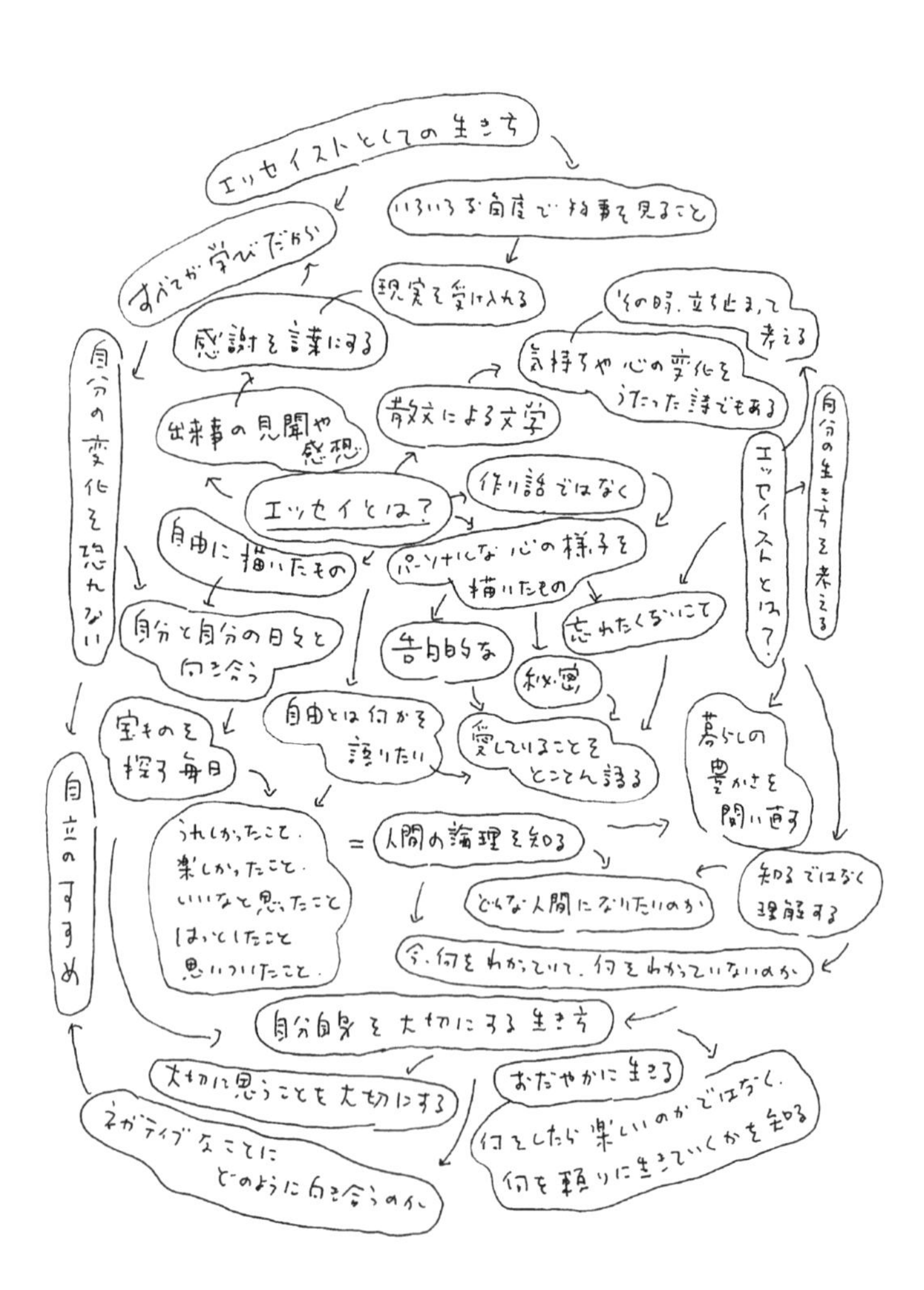

エッセイストとしての生き方
いろいろな角度で物事を見ること
すべてが学びだから
現実を受け入れる
感謝を言葉にする
その時、立ち止まって考える
気持ちや心の変化をうたった詩でもある
自分の変化を恐れない
出来事の見聞や感想
散文による文学
エッセイとは？
作り話ではなく
自由に描いたもの
パーソナルな心の様子を描いたもの
エッセイストとは？
自分の生き方を考える
自分と自分の日々と向き合う
告白的な
秘密
忘れたくないこと
宝ものを探す毎日
自由とは何かを語りたい
愛していることをとことん語る
暮らしの豊かさを問い直す
自立のすすめ
うれしかったこと、楽しかったこと、いいなと思ったこと、はっとしたこと、思いついたこと。
＝人間の論理を知る
どんな人間になりたいのか
知るではなく理解する
今、何をわかっていて、何をわかっていないのか
自分自身を大切にする生き方
大切に思うことを大切にする
おだやかに生きる
何をしたら楽しいのかではなく、何を頼りに生きていくかを知る
ネガティブなことにどのように向き合うのか

その小さな自分に「なぜ？」「つまり？」「ということは？」「具体的には？」「ほかには？」「いつから？」「どうする？」と問うてもらう。そこで出てきた言葉を書きとめ、線でつなげていくと、Ａ４の紙があっという間に埋まっていきます。

ひとつのテーマからそんなにつながっていくだろうかと思われるかもしれませんが、「もうひとりの自分」がいいはたらきをしてくれるのです。少しだけ客観的な視点を持った自分に問われるまま答えていくと、するすると言葉が出てきます。

こうして自分の外に言葉を出して可視化していくと、おどろくほど心と頭がすっきりしますし、考えを広げたり整理できたりするのです。

マインドマップは、考えが行き詰まったときや悩みがあるとき、気分が晴れないとき、うまく頭が動かないときにも効果的です。

エッセイストは「考える」ライフスタイルですが、ときどき心と頭がうまくはたらかなくなってしまうことがあります。ファイルを開きすぎてフリーズしてしまったパソコンのように、なにも考えられなくなってしまう。そういうときは、気持ちも落ち込みがちです。

フリーズするときは、たいてい直視できていない悩みや不安、ストレスなどを抱えているときです。心の引っかかりが、全体の流れをせき止めてしまうんですね。

そうなったとき、もちろん休息は大事ですが、ただ休んでも根本にある問題はそのままです。だから、まずは「自分を見つめる」ことからはじめる。頭の中にある言葉を、マインドマップにすべて書き出してしまいます。


では具体的に、どうマッピングしていくのか。

まず、自分の「引っかかり」を見つけます。それが心に浮かんだとき、暗い気持ちになること。重たい気分になること。

人生に対する不安、仕事、恋愛、子育てなど心あたりのあることをいくつか思い浮かべ、なにがいちばんストレスになっているのか、自分の反応を観察します。

そして紙の真ん中に「引っかかり」を書いたら、「なぜ?」「つまり?」「ということは?」「具体的には?」ともうひとりの自分に聞いてもらう。

こうした問いに対する答えは、だれに見せるものでもない本音。弱くてダメで勝手な自分が語る、赤裸々な言葉ばかりです。

ですから、できあがったマインドマップはさながら「自分に対する告白」といった佇まいになっています。それを眺めることで、自分のほんとうの気持ちを知れたり、どう自分を変えていくかに頭が切り替わったり、「たいしたことじゃないな」と吹っ切れたりと、心が落ち着いていくのです。

僕も若いころはマインドマップを書いてみて、「結局、お金に対する不安があったんだ」「ああ、人に好かれたいという気持ちのせいだったんだ」と気づくこともたくさんありました。そんな偏りが恥ずかしいけれどこれがいまの本音なんだなと。

「まだこんなところにこだわっていたんだなあ」「あきらめがついていないなあ」「あのことをいまだに怒ってるんだなあ」といった本心に気づく――つまり自分の心を「把握」できると、気持ちが元に戻ります。

そこからもう忘れようと思うのか、しょうがないと妥協するのか、とことん向き合おうと思うのかはそのとき次第です。でも、たとえばそこで興味を持った「怒りとはなんだろう」という問いが、自分の向き合っていくあたらしいテーマになることもあるでしょう。

次々に浮かんでくる言葉を、可視化する。手書きで広げていく。自分の本心を見つめる。マインドマップづくりは、コンディションを整えながら考えるために、欠かせないツールです。心のストレッチのようなものなのです。

・おしゃべりを誘ってみる

僕にとって、日々の生活の中で人と話をすることが最高のぜいたくで、なによりもうれしい時間です。２０２０年からのコロナ禍ではなかなかこの時間が持てず、苦しい思いもしました。

だれかと同じ空間で雑談を交わしたりおしゃべりしたりするのは、純粋にたのしい時間です。ただそれだけでなく、いま考えていることやアイデアを話し、それに対してリアクションや意見をもらえることも、たまらなく充実した時間に感じられるのです。

思いもよらないアイデアをもらったり、「自分はこういうふうに考えがちだな」「ここはまだ整理できていなかったな」といった気づきがあったり、自分の考え方を省みたり……。

ひとりでは発見できなかった自分と出会えることは、人間関係の本質的なよろこびと言っていいでしょう。エッセイストのように「考える」ためにも、人とのおしゃべりは欠かせない時間です。


だれかと話すなら、オンラインでもできるじゃないかと思われるかもしれません。たしかに議論や打ち合わせならそれでも構いません。しかし、とりとめのない話をオンラインでするのはなんだか大げさで居心地の悪い感じがします。

目線の動きや身体の置き方、呼吸、言葉の重なり……身体性をともなうのとともなわないのとでは、おしゃべりの密度もずいぶん違うのです。

ですから僕は、「話してみたいな」と興味を持った人にはとりあえず声をかけてみます。出会ったばかりの年下の友人を「ちょっと話しませんか」と誘い、一緒にランニングをしてみたこともあります。話ができる程度のスピードでゆっくり2時間ほど走りながら、あれやこれやとおしゃべりを交わしました。

相手のことがだんだんとわかってきて、同時に自分のこともよりわかる。メディアや画面からではない生の言葉、生の情報を知る。そういう時間がたまらなく好きです。

親しい身内でも同じで、僕は毎日、夕食後に妻と1時間ほど散歩をしています。健康のためでもあるけれど、いちばんは「おしゃべりしたいから」です。ときどきは悩みを相談したり家のことを話し合ったりもするけれど、たいていなんてことのない話に終始します。他愛のない話をする時間が、ふたりの関係においても、自分の思いや考えをさぐるうえでも、とても大切なのです。

おしゃべりする相手は、シンプルに、好きな人や気になる人を誘ってみるのがいちばんです。とりたてて「おしゃべりする理由」がなくても、好奇心がはたらいたら「もしよかったらちょっと話しませんか」と声をかけてみます。

散歩に誘ってもいいですし、お茶や食事に誘うのもいいでしょう。断られたとしても夕イミングが悪いだけかもしれませんし、「そうか、いまじゃないんだな」と思えばいいだけです。

僕は「この人、気になるなあ」と思えばどんな人にも気軽に声をかけますが、ひとつだけ意識していることがあります。

それが、「いろいろな人」とおしゃべりすることです。年齢や性別、仕事、生き方、価値観など、できるだけ多様な人とコミュニケーションを取りたいと思っています。

あまり自分と似ていない人やよく理解できない人から学ぶことはとても多く、少し話すだけでたくさんの刺激や学びをいただけます。自分の未熟さや不見識、視野の狭さに気づくこともしょっちゅうです。

いつも同じ人とばかり話すのはラクだしたのしいですが、どうしても刺激は減っていきます。ときには思いきって「あたらしいおしゃべり」をしてみることで、あらたな発見を得られるはずです。

考えを凝り固まらせないためにも、心や頭にあたらしい風を吹かせるためにも、「異なる人」と触れあうのがいちばんなのです。

思い切って誘ってみると、ほとんどのおしゃべりのあとは「思い切って誘ってよかったなあ」とうれしい気持ちになりますし、手書きのメモは何行も増えます。

ただ、あたりまえですが、おしゃべりをしたからといって仲良くなれるわけではありません。ときには1回きりで終わってしまうことも、「自慢話ばかりする人だったなあ」と残念に思うこともあります。

けれども、「どうしてあんなに自慢話をするんだろう」と考えていけば、それも発見やエッセイの種になるわけですからそれでいいのです。断られても、同じです。

すべてプラスになる。どんなことでも、全肯定。安心して声をかけてみてください。

・「知る」と「わかる」を区別する

何年か前にアメリカで出版された、『Learning How to Learn』という本があります。「学び方を学ぶ」というタイトルを見たとき、まさに現代を生きる僕たちにとって必要な姿勢だと膝を打ちました。

いまの世の中は、スマホやパソコンを使えば労力をかけなくても、あらゆることがものの数秒で「知れる」ようになっています。知ること自体は気持ちがいいし、賢くなった気にもなれる。生活も仕事もうまくやれるようになりますから、いい時代だと思われるかもしれません。

しかしながら、次から次へと情報をインプットすることがあたりまえになったことで、ほんとうに「わかった」ものはどんどん減っているように僕は感じています。

「知る」と「わかる」は、まったく違うものです。

ここから少し言葉を尽くして、考えるための情報とのつきあい方についてお伝えしていきたいと思います。エッセイストのように生きるうえで、避けては通れないテーマですから。

内田樹さんが著書『街場の読書論』（太田出版）で、本の読み方についておもしろい考察をされていました。

内田さんによると、読書には「文字を画像情報として入力する作業（＝ｓｃａｎ）」と「入力した画像を意味として解読する作業（＝ｒｅａｄ）」があるのだそうです。

前者は、さながらプリンタのスキャンのようなもの。「しっかり咀嚼して消化する」のではなく「そのまま飲み込む」イメージです。新聞の斜め読みはまさに「ｓｃａｎ」で、そこで自分のフックに引っかかった文字情報があれば、文章を深く読み込んでしっかり理解する「ｒｅａｄ」にスイッチするというわけです。

僕はこの「ｓｃａｎ」は「知ること」、「ｒｅａｄ」は「わかること」と重ねて考えました。

内田さんは両方の役割を説明しつつ、現代の日本教育は「ｒｅａｄ」に重点を置いてプログラムをつくっているけれど、意味を追い求めずただ眺めるだけの「ｓｃａｎ」の読書も大切なものだ、という主張をされていました。

学校教育に関してはそのとおりかもしれません。でも、この本が出版されてから10年以上経ったいま、残念ながら大人の「ｎｏｎ-ｒｅａｄ」は加速しているように感じます。「ｓｃａｎ」ばかりが盛んになっているけれど、もう一度「ｒｅａｄ」の時間を――「わかる」を――取り戻すことに意識を向けたほうがいいのではないでしょうか。

これは読書だけでなく、あらゆる情報に対しても同じです。

いま、多くの人があたらしい情報に触れることばかりに夢中になっています。ひとつのできごとやニュース、コンテンツについてじっくり考えるのではなく、次々と差し出されるあたらしい情報に意識を向ける。

『映画を早送りで観る人たち』（稲田豊史、光文社）という本はそのタイトルのセンセーショナルさもあり話題になりましたが、実際、スタンプカードを埋めるように「より多く知る」ことをなによりも大切にしている人たちがいるようです。

これは、ひとつの社会問題なのではないかと僕は考えています。

なぜなら、「知る」に熱狂するということは、静かに頭をはたらかせる時間を失ってしまうことだからです。

人間に与えられた24時間は、いつだって同じ長さです。知ることに時間をかけるほど、理解する時間は少なくなっていきます。

「わかる」ことは、本質に近づくこと。大切なものが増えていくことです。大切なものが増えていくことは、人生における豊かさのひとつです。

その豊かさを得るためには、やはり、ひとつのことに時間をかけて考えなければなりません。大切なものを深く理解するためにも、「知る」時間を減らして「わかろうとする」時間に振り分けるのがいいのではないでしょうか。

そもそも、「すぐに知れること」はみんなが等しく手に入れられる情報ですから、それほど貴重でもなければ役にも立ちません。

それなのにわかった気になってしまうわけですから、過剰なインプットはむしろ害悪であるとさえ言えるでしょう。

「わかる」ために、たくさんの情報は必要ありません。むしろ少ないほうが、自分の頭の中で問いと答えのラリーをつづけることができます。

いま自分は「知ろうとしている」のか。「わかろうとしている」のか。

まずはその意識を持つことが大切なのです。

・「知る」入り口を狭くする

エッセイとは、「知っていること」ではなく「わかったこと」を書くものです。これはとても大事なポイントです。

自分の感情について、愛しているものについて、好奇心を持ったテーマについて、問いから導き出した答えについて、自分なりの理解を記していくもの。

だからエッセイストにとっては、「どれだけ知っているか」よりも「どれだけわかっているか」のほうがずっと大事です。

「わかる」ためには、前項でお話ししたように「知る」時間を減らして「わかろうとする」学びと理解の時間に振り分ける必要があります。

具体的には、インプットの入り口を「狭く」するのがいいでしょう。情報を、ある程度のところで遮(さえぎ)ってしまうのです。

芸能人のスキャンダルなどを想像すると、わかりやすいかもしれません。テレビやネットニュースがその件を取り上げて騒いでいるとき、「このニュースを知ることで『わかる』が増えるだろうか」と考えてみるのです。「明日の自分、1年後の自分にいい影響があるだろうか」と問うてみる。

おそらく、答えは「ノー」でしょう。

逆に、1年前、3年前になんとなく追いかけたニュースが、いまの自分に影響を与えているか振り返ってみるのもいいでしょう。時間を無駄遣いしてしまっただけで、なにも残っていない。「わかる」につながっていないのではないかと思います。

だったら、最初から目に入れなくてもいいな、と考える。

そういうふうに、過去と未来をイメージしながら「これは自分にとって大切な情報か」と吟味していけば、自然と「狭く」なっていくはずです。

もちろん、スキャンダルを目にしたときに、たとえば「依存とはどういうものなのだろう」と気になったり、「人が抱く『イメージ』とはいったいなんだろう」といった問いが浮かんできたのであれば、それは大事に抱えるべき好奇心。自分にとって大切なテーマになりそうなのであれば、向き合う価値はあるはずです。

どれだけ「わかりたい」と思うものをインプットするか。

いかに「わかりたい」と思わないものをインプットしないか。

そんな意識で情報に向き合うといいのではないでしょうか。

・「教養の圧」から抜け出す

いまの世の中は、「だれもが身につけておくべき」とされる「教養」が多すぎるように感じます。

歴史、音楽、哲学、ワインに映画……学問からカルチャーまで、さまざまな「教養」が僕たちを追い立ててきます。

昔から、教養のある人は一目置かれる存在ではありました。でも、最近はあまり教養のない人やものを知らない人が蔑(さげす)まれたり、「教養のある人間でなければならない」という圧が強くなったりしているように感じます。

ですから、自分が軽んじられたくないという一心で、「教養を身につけられる」という言葉に飛びついてしまう。知識を詰め込むことに必死になってしまう。

ほんとうにそれほどの知識が必要なのでしょうか。そもそも、インスタントに身につけた「教養」をはたして教養と呼んでいいのだろうかと、首をかしげたくなってしまいます。それはもはや、ただの競争ではないでしょうか。

皮肉なことに、「教養至上主義」が、ほんとうの意味で「考える」ことの妨げになっている気すらしてしまうのです。

極端に聞こえるかもしれませんが、エッセイストのような生き方は「教養」から距離を取る生き方かもしれないと僕は感じています。

反教養主義ということではありません。肩の力を抜き、インプットのペースを落とすということです。もっと言えば、ほどよく「あきらめる」ということです。

「理解すること」に重きを置く生き方は、競争に身を置かない生き方です。自分の答えを出すことがなによりも大切だから、「もっといろいろなことを知っておかないと」という声に振り回されない。

教養を押しつけられそうになったとき、あるいは「こんなの常識だよ」と言われたときに、「それについて知らなくても、僕は大丈夫です」と心の中で言える自分でいることが大切だと思います。

「知らない」ということは、恥ずかしいことでも劣っていることでもありません。

だれもがそれぞれに「知っている」と「知らない」を抱えています。昭和の名作映画の知識を持っていなかったとしても、韓国の音楽カルチャーについてはそれなりに詳しいとか、料理については日々考えている、ということはふつうにあるはずです。

凸凹があってもいい。むしろ、凸凹があることが自然です。全方向でインプットしようとすればするほど、「わかる」にはたどり着けません。

それに、もし自分が詳しくないことについて知っている人がいたら、教えてもらえばいいだけの話でしょう。僕は疎（うと）いジャンルもたくさんありますから、食事会などでそれに詳しい人や好きな人に教えてもらうこともしょっちゅうあります。

でも、そうやって知らないことがあることを「教養がない」と嘲(あざけ)られたことは一度もありません。もちろん僕が詳しいことを教えることもたくさんあるけれど、「ものを知らないな」なんて思ったことはありません。自分が怖れるほど、周りの人は自分をジャッジしていないのだと思います。

なんでもかんでも浅く知るより、自分の中にいくつかの「わかった」があるほうが自分の軸が太くなります。

名作映画を早送りでどんどん観て消化していくのではなく、同じ映画を何度も繰り返し観て、感じて、対話して、考える。そして向き合うことで、自分らしいスタイルがつくられていくのではないでしょうか。

自分で「理解したいこと」と「知らなくていいこと」を選別する。選んだものについては、しっかり考えていく。それ以外のことは、ポジティブにあきらめる。

そんな「疎さ」を守るのも、エッセイストとしてのあり方なのです。

・スマホを手放す

いま、電車に乗れば、ほとんどの人がスマホをのぞいています。

SNSを開けば役に立つたのしい情報があふれていますし、最近ではオーディオブックやポッドキャストなど耳から入れるコンテンツも増え、歩きながらイヤホンで情報収集するという人もたくさんいます。ゲームをしたり、動画を観たりと娯楽には事欠きません。

また、スマホさえあれば友だちとは常につながっていられます。いまほどリアルタイムでだれかとやりとりできる時代はないでしょう。

そんななか、スマホを手にしていないと不安だという方が増えているようです。肌身離さず持ち歩き、通知があればすぐに目を向ける。すきま時間に、目的もなくスマホのロックを外す。

もちろんスマホにはさまざまなアプリが入っていて、生活するうえでもとても便利な存在です。仕事帰りに電車に乗りながら今日の献立をさがせるのも、旅行に行くときに大きな地図を持ち運ばなくてよくなったのも、スマホのおかげです。僕もいろいろと活用していますし、スマホが完全になくなったら不便を感じるでしょう。

ただ、あまりにも一緒にいすぎているのではないか、と危機感を抱いているのです。

「生身の身体ひとつ」で存在している時間が、少なすぎるのではないでしょうか。


僕は、「スマホがなくても大丈夫な自分」でありたいと思っています。

スマホ依存は、スマホがなければ自分ではないような、不安な気持ちになる状態のこと。自分以外の存在にとらわれていることで、「自立」からほど遠いあり方だと言えます。

そしてなにより、しょっちゅうスマホを手にしているということは「知る」に時間を取られているということです。「scan」と「read」でお話ししたように、かぎられた時間の割り振りとして、考える時間をつくれなくなっている。これは、エッセイストらしい過ごし方とは言えません。

「スマホがなくても大丈夫な自分になる」とは、いわゆる「スマホ断食」ほど厳密なものではありません。一切断つわけではなく、「なくてもそわそわしない状態」であればいいと思っています。

ただシンプルに、「スマホと自分」ではなく「自分ひとり」になる時間を極力持つことを意識する。

できるだけ、身体ひとつの時間を過ごすイメージです。

僕自身、スマホは連絡をメインに使っています。メールや電話、あとはスケジュールの確認、SNSでの発信など、必要最低限のアプリだけを活用しています。

朝起きて、まずスマホを見るようなこともしません（朝はベッドの中で窓から見える景色をしばらくじっと見つめます。毎日見ているはずなのに、日々発見があるのです。それは静的なようでいて、心が動き出す大切な時間です）。

夕食後の散歩にも、スマホは置いていきます。

時間がぽっかり空いても、SNSやニュースアプリはほとんど開きません。

電車に乗っているときや車を運転しているときだって、なにも情報を入れずにぼんやりと過ごすことがほとんどです。スマホも見ないし、ラジオや音楽、ポッドキャストを聴いたりもしない。いろいろなことに思いをめぐらせたり、考えたり、感情の些細な動きを堪能したりしています。

僕はこうしてしょっちゅう「ひとり」の時間を味わっているわけですが、それは外部からの刺激をもらわず内側だけでものごとを考えているときのほうが、充実した時間になるからです。

なにも生み出していない――いわゆる「生産性」からはほど遠い――無為な時間に見えても、心は満たされます。

はじめは意識してこうしたスマホをともなわない「ひとりの時間」を取っていましたが、いまはそれがあたりまえになりました。

スマホを持ち歩かない。SNSもニュースもほとんど見ない。いまなにが話題なのかもわからない。

こんなに情報から自立してほんとうに大丈夫だろうかと、不安になるかもしれません。

けれど自分にとって絶対に必要な情報はおのずと入ってきますし、意識せずともアンテナに引っかかってくるものです。

それに、自分にとって大切なことについて考えるだけで、時間はどんどん過ぎていきます。「これ以上、情報を入れる余白がない」という感覚が近いかもしれません。

僕がこうしたライフスタイルになったきっかけは、次から次へと画面に表示される、いかにも興味を引く情報たちがほとんど「がっかり」するものだったからです。

スマホの画面を消したときに「ああ、よかったなあ」「いい時間だった」と思えるものにはほとんど出会えず、むしろ「時間泥棒をされてしまった気分だなあ」ともやもや感じることのほうが多かった。

ときに有益な情報を手にすることもありましたが、それでも「なくても自分の人生には構わなかったな」と思い、だんだん意識してスマホから距離を取るようになったのです。

ただ、いまも好奇心から、あたらしいアプリやサービスがリリースされたらひととおりは使ってみます。でも、そのまま時間を吸い取られるようなことはありません。「なるほど、こんな機能があるのか」「ここのデザインはもっとこうしたいな」などと考えながら操作し、そこでおしまいです。

もちろん、ほんとうに気に入って、よく考えて、暮らしが豊かになると確信したときはそのアプリやサービスを生活に組み込みます。

先にお話しした情報とのつきあい方もそうですが、100パーセント拒絶するのではなく、ゆるやかに入り口を狭めるイメージです。

これは大切なお話ですが、「断食か依存か」といったように、0か100に自分を当てはめるのは、極端であやうい姿勢だと思います。中途半端でもいいし、むしろ「ほどほど」がいいくらいです。すべてはバランスです。

たとえばアナログが好きでも、すべて紙の本で買えば物理的にものを持てなくなります。紙の本はいいよね、でも電子書籍も必要だよね、というしなやかさが必要です。

まずは、スマホと自分の関係を整理してみましょう。

1日の中で、どれくらいスマホに触れていて、ほんとうに自分に必要な情報はどれくらいあるのか。情報の過剰摂取になっていたり、意味のないインプットに振り回されたりしていないか。

ちょっとした息抜きや、あるいは手癖でスマホを触ってしまうことは多いと思います。でもその積み重ねで、考える時間がごっそりと削られているのです。

目的もなく延々とスクロールしていないか？　いまの時間の使い方はエッセイストらしいか？　自分に問いかけることで、スマホに伸びる手が止まるかもしれません。

・**検索に頼らず自分の答えを出す**

スマホと関連して、しっかりと見つめ直したいのが「検索」です。

Ｇｏｏｇｌｅで検索することが「ググる」という省略言葉になっているように、若者から年輩者まで、多くの人の生活に定着した動作でしょう。ＣｈａｔＧＰＴやＳＮＳでのサーチ機能も同じですね。

「○○ってどう説明されているんだろう」

「この映画、みんなはどう言ってるだろう」

「おいしいお店を探そう」

こうした「知りたい欲求」が湧いたとき、検索を使えばたくさんの情報がかんたんに、一気に手に入ります。はじめは僕も「なんて便利なんだろう」と思っていました。

でもいまは、ほとんど検索をしなくなりました。「〇〇とは？」と検索すれば答えが出てくることはわかっているけれど、だからこそ、しない。

それがつまらないこと、自分を豊かにしないことだとわかったからです。

たとえ検索して見つけたお店でおいしいごはんを食べられたとしても、それはただ提示された正解をなぞっただけの話です。

「これが正解ですよ」と言われ、その答え合わせをしただけ。「自分の答え」ではないものに行動がコントロールされることは、はたしてしあわせなのでしょうか。

そして多くの人が、だれかが用意した正解に乗っかることに満足して自分の答えを持つことをあきらめていたら……それはちょっと、こわいことではないかとも思います。

僕はわからないことがあったら、まず「どうしたらわかるようになるだろう」と考えるところからはじめます。

そして実際、人に聞いたり、いろいろな本を読んだり、そのことについてずっと考えたりして、自分なりの答えを見つけていく。

それで「どうしてもわからない、お手上げだ」となったとき、はじめて検索してみます。でも、それはほんとうに「最後の手段」です。たいていのことは、最後の手段を使わずしてもわかります。

いまは検索を「最初の手段」にしている方が多いですが、その順番を逆にしてみるだけで、一気に「遅く」考えられるはずです。

しかも、人に聞いたり本を読んだりすることで、「知りたい」と思ったことの近くにあるさまざまな情報が自分の中に流れ込んでくる。紙の辞書を引くと、となりの言葉が目に入ってくるのと同じ感覚です。

検索は最短距離で答えにたどり着けるけれど、最小限の情報しか得ることができません。それは少し、味気ないなと思います。思いがけない気づきを手にしたり、学びを得たりすることは、とてもたのしいことのはずです。

いますぐ知らなくてはならないこと、たとえば命にかかわるようなこと以外は、時間をかけて理解していく。検索は、最後の手段にする。

そのとき調べられなかったら忘れてしまうようなことは、放っておけばいいのです。結局は、そこまで知りたいことではなかったのですから。

・「ぼんやりタイム」で考えない時間を持つ

ここまでエッセイストとして考える方法と、さまざまな情報とつきあう方法について書いてきました。ご紹介した「考えるコツ」を試しながら、考えるための生活のスタイルを整えていきましょう。

ただし、この章の最後にお伝えしたいのが、「考える」ことは大切だけれど、考えすぎもよくないということです。先にも言ったとおり、日がな一日、いろいろなことを考えつづける必要はありません。

僕の感覚では、「考えること」と「考えないこと」は同じくらいの割合でバランスを取ることが必要です。

心の動きに敏感になるためにも、アイデアを出すためにも、エッセイを書くためにも、「考えない時間」が欠かせないのです。

では、どうすれば「考えない時間」を持つことができるのか。

アンプラグド（unplugged）、つまり、なににもつながらない時間を持つことです。

いま、考えられないことの原因に「常につながっている（プラグド）状態」があたりまえになっていることが挙げられます。人とも、情報とも、常につながっていられるいまだからこそ、なるべく「アンプラグドな時間」を意識して取るのです。

僕は、究極のアンプラグドな時間として「ぼんやりタイム」を取っています。

「ぼんやりタイム」は1日30分から1時間、ソファに座って頭と心を休ませる、とても静かな時間です。スマホやテレビなど外の世界とつながる糸を切り、自分のスイッチも切る。頭と心になにか浮かんできても、考えない。

いわば「思考のファスティング」です。なにも摂取しない。いろいろなものをキャッチしてしまうアンテナを閉じて、ゆったりと過ごす。

すると、考えすぎていた頭も使いすぎていた心もすっかりリフレッシュして回復するのです。これは僕なりの、マインドフルネスの時間でもあります。

トライしてみるとわかるのですが、「なにも考えない」のは意外とむずかしいことです。どうしても言葉や情景が浮かんできてしまいますし、それを1時間つづけるのは至難の業。

僕も、自分のアイデアではじめてみたものの、はじめはなかなかうまくいきませんでした。試してみた友人たちもみな同じで、「そういえばあの件はどうなってるんだっけ」などと次々に考えが浮かんでしまい、ついスマホに手が伸びてしまうと言っていました。「昔はもう少し『ぼんやり』できていたのに……」とがっかりしながら。

おそらく刺激を受けることに慣れすぎてしまって、自分の身体だけと過ごす感覚がなかなか取り戻せないのでしょう。みなさんも、そうなるかもしれません。

そんな方でも、トライしつづければ絶対に「ぼんやり」できるようになります。マラソンと一緒です。最初は2km、3kmがやっとで、5kmも走れません。でもだんだん距離を伸ばしていくことでいつしか軽々と10km走れるように、心身がなじんでいきます。「ぼんやりタイム」も、最初は5分で構いません。それを10分、20分、1時間と伸ばしていけばいいのです。

そのころには、どれだけ「ぼんやりタイム」によって脳や身体がリフレッシュできるか、実感も湧いているのではないかと思います。

「ぼんやりタイム」がなじんでくると、生活になくてはならないものになります。「ぼんやりタイム」を取るのと取らないのとでは、心身のコンディションや、アイデアを出すときのスピードがまったく違うんですね。

僕は「ぼんやりタイム」をだいたいお昼の3時〜4時ごろに取ることが多いですが、もちろん予定が入っていたら適宜、午前中や夕方にずらします。いつ取るかは、それぞれのライフスタイルに合わせてください。

ただ、できるだけ定期的に取ることが大切だと感じています。仕事や生活、趣味、子育てなどあわただしい日々の中、毎日ぼんやりするのはむずかしいかもしれませんが、それでも優先して「ぼんやり」する。

一生懸命生きていれば、知らず知らずのうちに頭も心も使いすぎてしまうものです。だから、意識的にスイッチをオフにする時間を取りましょう。

ちなみに「ぼんやりタイム」の話をすると、ほんとうにそんな時間を取れるのかとおどろかれることがよくあります。それだけ「ぼんやりすること」がぜいたくに感じられるということでしょう。なにも生み出さない非生産的な時間に見える「ぼんやり」に時間を使って大丈夫ですか、と。

でもそれはきっと、いまの世の中の速すぎるスピードや、「生産性」を重視することがあたりまえになっているからでしょう。

時間のとらえ方を変え、「なにかを生み出さなければならない」という思い込みを手放して「ぼんやり」をつづけていく。するとすぐに、このなにもしない時間にどれだけ価値があるかわかるようになると思います。

1日の中でなんとなくスマホを眺める時間を寄せ集めたら、1時間くらいすぐに経ってしまうでしょう。その時間を「ぼんやりタイム」に振り分け、頭を休ませることで、「考えるタイム」の深みが変わってきます。

これまで僕は「なにを書こう」と悩んだことがないと言いました。それはきっと、「考えるタイム」と「ぼんやりタイム」の両方の時間を持っているから。

心と頭の余白のバランスが取れているからに違いありません。

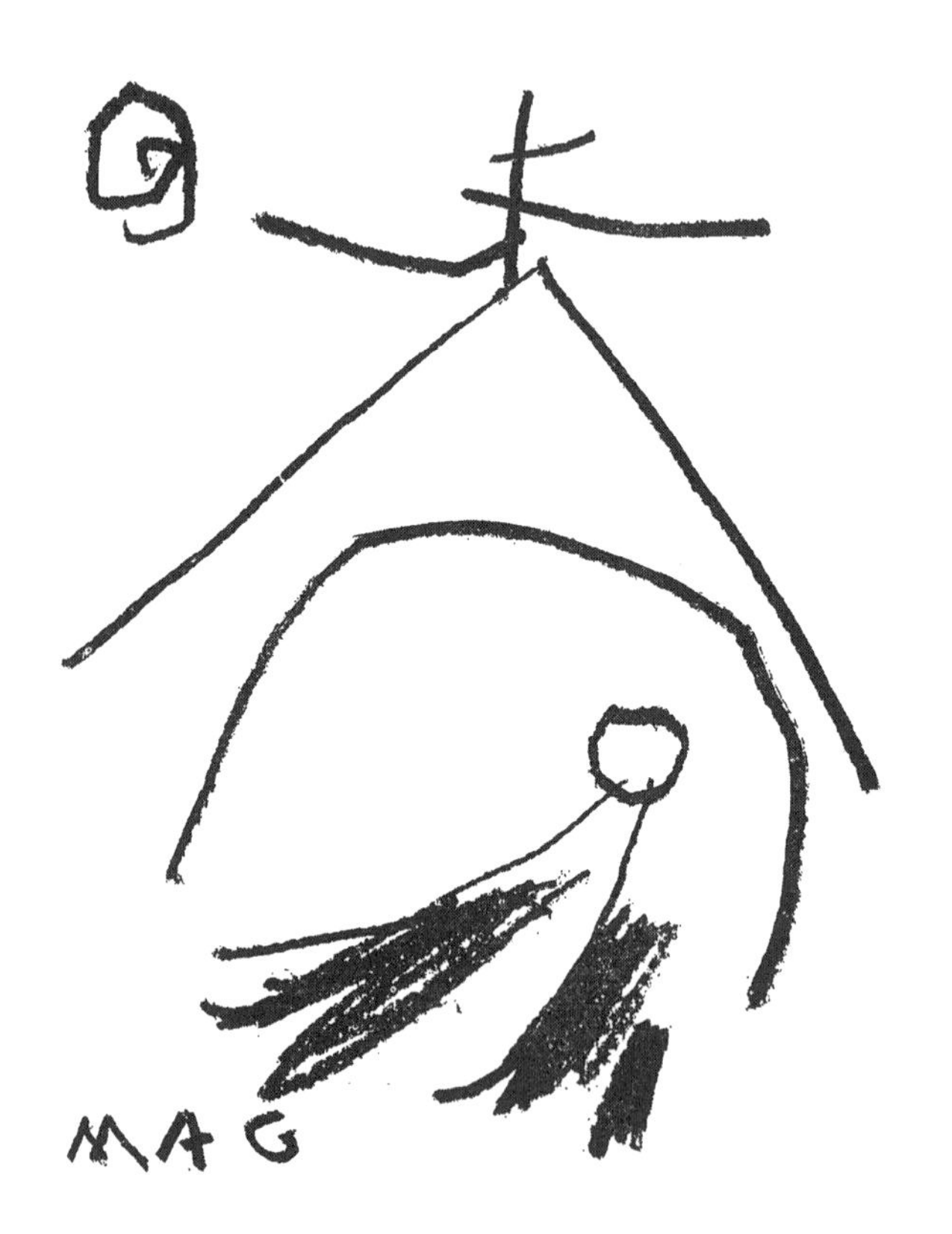
MAG

第4章

書くために、読む

・書くために、読む

本を読むことは、僕にとって生活の一部です。感覚的には、水を飲むのに近いでしょうか。読まないと渇き、読むと潤う。自分にとって生きるために欠かせないものです。ただし、生きるために読む側面もありつつ、「書くために読む」という意識もたしかにあります。

エッセイストとして生きるうえで、読書は欠かせない営みです。

あたりまえですが、本には1冊ずつ、著者（書き手）がいます。

本とは書き手が発見した「秘密」、物語やメッセージ、そしてそれを書くに至るまでの人生を詰め込んだものです。

つまり私たち読者は、まったく違う世界を生きながらにして書き手が見てきた世界を知ることができるわけです。ページを開くと、その人の世界におじゃますることができます。

この「世界」というのは人によって少しずつ、でもすべて違います。もちろん自分と同じ世界を持つ書き手は、ひとりもいません。

本を読んでいると「わかる」もあれば「わからない」もあります。「好きだ」もあれば「好きじゃない」もある。「響く」もあれば「響かない」もある。

その考え方や視点の多様さをしみじみと実感し、生きるうえでの希望を得られるのが僕にとっての本です。

自身がエッセイストということもあり、ジャンルとしてはやはりエッセイをいちばん読んでいると思います。エッセイを読むと、その書き手たちから「書く自分」を励ましてもらえる気がします。

もっと自分の世界を表現してもいいし、いま感じていることや考えていることを自由に書いていいんだ、と背中を押してもらえる。「僕だって自分の目に映る世界を、世界にひとつだけのエッセイとして書いていいんだ」と勇気が湧いてくる。

「読む」で心を動かすことが、「書く」にもいい流れを起こしてくれるのです。

また、苦しいとき、くじけてしまいそうなときも、読書によってだれかの世界に入り込むことで元気をもらえます。

ふと、もうだれにも必要とされていないんじゃないか、こんな自分でも友だちはずっとそばにいてくれるんだろうかと、ひとりぼっちのように感じて不安でたまらなくなることは、だれにでもあるでしょう。

でも、そうした漠然とした不安も、本の世界に入り込むことで忘れることができます。そして、「大丈夫だ」と思えるのです。

なぜなら読むことで、地球上にはたくさんの人間がいて、その数だけ考え方や生き方があって、みんな必死に生きているというあたりまえの事実に触れられるからです。

自分もそのひとりとして、必死に生きている「いま」を残しておこうと思える。書こう、と思えるのです。

こうして「書くために読む」一方で、「読むために書く」側面もあります。

よほどの本の虫でないかぎり、読んでばかりの毎日では疲れてしまいます。おいしい食事だけれどもうこれ以上食べられないよ、という状態です。

そこで、書く。書いてみる。それまで食べてきたものを咀嚼していく。書くことは、取り入れた栄養を消化していくことなんです。そうすると自分にまた、読む余裕が生まれます。

本とは、未知の広い世界に触れられるものであり、自分に立ち返れるものであり、文章を書くモチベーションとエネルギーを与えてくれるもの。

書きつづけるために、なくてはならないものなのです。

・影響を受けるために、読む

エッセイストとして本を読んでいると、悔しい思いをすることもたくさんあります。同じようなことを考えていたけれど先に書かれてしまったとか、どうしたらこんなに美しい言い回しを思いつけるんだろうとか、そんな歯がゆい思いを抱くことはしょっちゅうです。

けれどもその悔しさは、大歓迎です。

読書で得た悔しさを反芻（はんすう）していると、次第に自分の中に吸収されていきます。そして自分でも意識しないうちにかたちを変えて、自分の書く表現に戻ってきてくれます。

決してトレースするわけでも真似するわけでもなく、自分らしい考え方や言葉となって、より豊かな文章が書けるようになるのです。

「影響を受けるために読む」と言ってもいいかもしれません。すばらしい書き手の力を借りることで、自分ひとりではたどり着けない場所に行けるような気がしています。

ひとつ、僕の好きなエピソードがあります。

夏目漱石は若いころ、「どうして小説家というのは堅苦しい文章を書かなければならないんだろう」と思っていたそうです。当時の文章はおしゃべりするような口語体ではなく、文語体（書き言葉）を使うのが一般的で、それに疑問を抱いていたわけです。

そんな夏目漱石は若い頃から落語が好きで、足繁く寄席に通っていました。耳から、落語らしい庶民にもわかる話の筋書きや音のリズム、くすっと笑えるユーモアをインプットしていった。それを身体に吸収したことで、いつしかあの夏目漱石らしい、わかりやすくてリズムのいい、ユーモラスな文章が生まれたのだそうです（平易な口語体の文章で小説を書いたのは夏目漱石がはじまりだと言われています）。

夏目漱石が落語を聞きながら、「文学だってもっとおもしろくできるのに」と悔しがっていたかどうかはわかりません。

しかしきっと、無意識のうちに「いいな」「おもしろいな」と思う表現を吸収し、文章の糧としたのでしょう。

僕も本からそんなふうにたくさんの影響を受けたいと思っていますし、実際、とても影響を受けやすいタイプです。なにかを読んだり、見たり、聞いたりすると、自分で笑ってしまうほどすぐに染まってしまうことがあります。

大好きなスティーヴン・キングの『書くことについて』（小学館）を読んだときは、「一文を短くする」など文章論に影響を受け、こころなしかスティーヴン・キングらしい文章を書いたりもしていました。

こういう表面上の影響は、すぐに消えていきます。じきに自分の文体に戻るのです。音楽と同じで、いくら演奏を真似てみてもどうしても自分の息づかいに戻っていく。それが個性というものだと思います。

ただ、キングからの影響はわかりやすいほどには見えなくなったものの、自分の血肉になっていると感じます。表面から消えても、ゼロになったわけではないんですね。そうした「知らず知らずに受けた影響」が積み重なって、また自分の個性をかたちづくっていくのでしょう。

じつは、若いころはかんたんに影響を受けてしまうところを自分の欠点だと思っていて、「流されやすくてカッコ悪いなあ」と恥ずかしくも感じていました。

でも、ほかのひとのすばらしい作品は自分を成長させてくれると気づいてからは、むしろ長所だと思うようになりました。

まさに「学ぶ」の語源が「まねぶ」であるように、他者から影響を受けることで、自分のオリジナリティがより厚みを増していくのです。

自分らしい文章を書くコツは、まず「読むこと」。

積極的に影響を受けたり、その人の色に染まったりすることで、その先に自分だけの色が見つかるはずです。

こわがらず、いろいろな書き手の、いろいろな考え方、いろいろな表現に触れてください。真似をしてみてください。

幅広い表現に触れて感動することが、自分らしい文章をかたちづくってくれるはずです。

・少しずつでも、毎日読む

「読む」は毎日つづけることが大切です。気が乗らなくても、少しずつでも、です。

「毎日読む」というのは、人によってはむずかしいことでしょう。仕事や生活で忙しい日々、なかなか時間は取れないし、疲れたときに活字を追う元気が出ないという方も多いです。

それはあたりまえのことです。なぜなら書き手の世界を、思いを、エネルギーを受け入れるのですから。読み手であるこちら側にも、相応のエネルギーが必要です。

身体の調子も影響するし、心の調子も影響する。コンディションによって読むための気分が変わるのは、当然です。

だからこそ、毎日「本を開く」ことに意味があります。習慣としてページをめくることに、大きな意味があるのです。

なぜかというと、毎日読むことで、自分の状態が手に取るようにわかるようになるからです。

ページを開き、数行だけ目で追ってすぐにほかのことを考えてしまうときと、目の前に情景が浮かんでストーリーにぐっと入り込めるとき。

読書習慣が長くなればなるほど、読みはじめの感覚で自分の「元気度」がわかります。つまり、どれだけ本に没頭できるかがコンディションのバロメーターになるわけです。僕も心配ごとや悩みごとで心がざわざわしているときは、たいてい目が文字を上滑りしてしまいます。

本を開いて「調子が悪いんだな」と気づけたらのんびり過ごそうと思えますし、あせらずにゆっくりと読んだり、マインドマップを書くのもいいでしょう。「ぼんやりタイム」で自分を休ませるのも効果的だと思います。もしだれかと会う予定があるのであれば、イライラしないようにしよう、ネガティブにならないようにしようと注意を向けられるかもしれません。

毎日読むからこそ、状態の微妙な変化を把握できます。だから継続が大切。

かばんの中や机の上、寝室のキャビネットの上。すぐに手にできる場所に本を置き、食事の後や寝る前など、毎日10分、15分でもページを開く習慣をつけるといいでしょう。

日々本を読むことで心は潤うし、いまの自分自身について知ることもできます。

心身の状態を把握するうえでも、毎日の読書は最良のパートナーになってくれるのです。

・読書とは、書き手との対話

僕にとって、読むことは「対話」です。

いつも「あなたの話を聞かせてください」と思いながらページをめくっています。

10代の終わりから本屋という場所に親しみ、いまの僕も読書家と呼べるほうだと思いますが、じつは子どものころはまったく「本好き」ではありませんでした。学校で課題図書を与えられるとうんざりしてしまうくらい、読書という作業が面倒に感じていたのです。

1行ずつ目で追い、できる範囲で理解して、なんとか最後までゴールするのが精一杯。「どんな話だったか」にはなんとか答えられるけれど、「なにがおもしろかったか」には答えられない。そんな子どもでした。本を読むたのしさがちっともわからなくて、苦行以外のなにものでもなかったのです。

けれどもなぜか、本に興味はありました。

「どうして大人はみんな『本はいい』なんて言うんだろう」とふしぎでしたし、面倒だからといって遠ざけるのは違うんじゃないか、という予感のようなものがあったのです。

そんなふうに本とはつかず離れずで過ごしていたあるとき、学校の図書館にふらりと足を運んでみました。本棚にずらりと並ぶ本。なんの気なしにその背表紙を見ていると、ふと「著者名」が目に入ってきます。

はっとしました。「亡くなっている人もいるし、まだ生きている人もいるけれど、みんな自分と同じ人間なんだなあ」と気がつきました。

そのとき、本を書いた人とおしゃべりをするようなイメージが湧いてきました。この人たちの書いた文章は、この人たちの言葉であり声でもあるんだ。そこでためしに目に入った1冊の本を手に取って読んでみると……あまりにおもしろくておどろきました。書き手の声や、息づかいまでが聞こえてきた。

読書とは「目」で読むものだと思っていたけれど、そうじゃないんだ。書き手の言葉を、耳で受けとるんだ。

そんな大発見をしてから、僕の読書体験はがらりと変わりました。読書は苦行ではなく、いちばんたのしい時間のひとつになっていったのです。

いまも、僕にとって読書の時間は「好きな人の話を聞く時間」です。読書は書き手との対話で、おしゃべりだからたのしいのです。

おしゃべりの相手は、男性であることも女性であることもあります。数百年前のフランス人や明治時代の日本人であることもあるし、同じ時代を生きている人であることもあります。ありとあらゆる人と対話できるのが、読書の醍醐味です。

僕は映画も大好きですが、映画の歴史はおよそ130年。一方、『源氏物語』は1000年以上も前に書かれた文学です。そう考えると、本は出会える人の数も属性もまったくけた違いだということがわかります。

現実世界では言葉を交わせない人たちと、時間も場所も飛び越えて対話して、たのしませてもらったりおどろかせてもらったり、学びもたくさんあって、感情を揺さぶらせてもらったり……。

読書とは、とてもロマンのある営みなのです。

・書いた動機を考える

読書は書き手との対話ですから、はじめて本を開くときにはその相手のことをイメージします。

まず気になるのは、「この人はどんな『秘密』を書いてくれているんだろう」。著名な書き手でも、はじめて知った書き手でも同じです。どんなとっておきの「秘密」に触れられるだろうかと、わくわくしながらページをめくります。

そしてなによりも興味があるのが、書き手の「動機」です。

どんな本でも、「この人はなぜこれを書いたんだろう?」がいちばん知りたいこと。内容や美しい表現にももちろん心躍るけれど、なによりも書き手が本を書いた心情を理解したいのです。

文章を書くのは、それなりに大変なことです。ましてや1冊の本を書くのは、かなりの労力を使います。

それでも書かずにいられなかったわけですから、「よほどの理由」があるはずです。書き手と対話しながら想像力をはたらかせ、その「よほどの理由」をさぐりながら読む。これが僕の、読書のいちばんのたのしみ方です。

もちろん、その答えはどこにも書いてありません。答え合わせはできません。

でも、「こういうことかな」と考えるだけで読む「視点」が変わってきますし、何度も読んで「どうしてこれを書いたんですか」と心の中で書き手と対話を重ねるうちに、ふと、わかるときがあります。腑に落ちる。すると、書き手との距離がぐっと縮まります。

どんな本でも、かならず動機はあります。「よほどの理由」があるのです。

本を通じて書き手と対話する「人を読む読書」、ぜひ試してみてください。

・同じものを何度も読む

「どんなふうに読む本を選んでいるのですか」

本に携（たずさ）わる仕事をしていることもあってこんな質問をされることも多いのですが、これまでの人生全体で言えば、ジャンルを問わず手当たり次第に読んできました。いわゆる乱読です。

名作と呼ばれる小説を読んだり、本屋さんで目が合った本を手に取ったり、古本屋でしゃれた表紙の本があったら連れて帰ったり……。

とくに若いころは、あれこれとどん欲に本と接していたと思います。

そうして読書を愛するなかで、僕なりに「読書をたのしむコツ」をいくつか見つけてきました。

そのひとつが、「自分にフィットする本のかたちを見つける」。

僕はこれまでさまざまな本を読んできましたが、大長編作品はあまり合わず、没頭しきれない感じがしました。何度も挑戦したけれど、どうもたのしめなくてフィットしない。どうやら小説も、エッセイくらいの短編が性に合うようです。

こうした「作品の長さ」もひとつの指針ですし、エッセイや恋愛小説、歴史小説といったジャンルの合う合わないもあるでしょう。

あるいは明治から昭和前期の作品がたまらなく好きといった時代性や、男性作家、女性作家といった好みもあるかもしれません。

自分にフィットする作品から入り、興味を持ったらほかの作品に広げていく。無理しないことで、挫折せずに読書をたのしめるのではないかと思います。

もうひとつ、読書をたのしむコツが「何度も読む」です。10回、50回、100回と繰り返し読む。これは音楽と一緒ですね。

「何度も読む」は、どんな人にもおすすめできる読書法です。自分を豊かにするための読書としては、これよりすばらしい方法はないとも思っています（エッセイや短編が好きだと言いましたが、気が向いたタイミングで気軽に読めますから、このスタイルにもちょうどいいのです）。

すばらしい本にはじめて出会ったとき、僕たちの心は打ち震えます。うれしい、たのしい、しあわせ、そんな高揚感に包まれます。

その瑞々しい感動は「1回目」ならではのように思われるかもしれませんが、じつは、何度も何度も読むことでより深めることができるのです。

町のラーメン屋さんにはじめて入ってみて、「おいしい！」と感動したとします。でも、どうしておいしいかはわからない。ただその味が忘れられず、10回、50回、100回と通う。そうやって何度も味わうことで、あるとき「わかった！」となるのです。

そのラーメンにほんとうの魅力や、自分はなにに惹かれていたのかが、「わかる」。さらにおいしさを感じられるようになり、ずっと通うお店になるでしょう。

繰り返しの読書の醍醐味は、この「わかる」にあると思います。

「なぜか惹かれてしまう」と思う本に出会ったら、何度も、時間と場所を変えて読んでみる。わかるまで読む。わかっても読む。

一生のおつきあいになる本に出会うと「ああ、この本は大切な存在になるな」と一瞬でわかります。乱読するなかであまり没頭できない本を読み重ねてきたのも、この本に出会うためだったと思えるほどのインパクトがあるのです。

読書は書き手との対話だと言いましたが、「何度も読む」スタイルは実際の人づきあいとも近いような気がします。

ひょんなことで出会って意気投合し、友だちになる。それから20年経ったあるとき、相手の本質的な魅力がようやく理解できたりするでしょう？　たくさんの友だちがいなくてもたったひとりのすてきな友人がいたらじゅうぶん、というところも共通しているのではないでしょうか。

一生の友人となる本は、しょっちゅう出会えるわけではありません。人気作だからといって必ずしも自分に合うわけではないし、書評家が絶賛している本だからといって自分がおもしろいと思えるかはわかりません。

でも、自分にとっての名著、座右の書は、絶対どこかにあるはずです。

読むたびに発見がある本を、数を重ねていくに値（あたい）する強度がある本を、人生いっぱいつきあいつづけたい本を見つけることができたら。

読者として、こんなにしあわせなことはないと思うのです（僕にとっての名著たちは、本章の最後にご紹介します）。

・いろいろな本とのつきあい方

先ほどの質問「どうやって本を選ぶか」について、ほかにもいくつかコツがあります。

まず、エッセイを読むときは、何度も書くように「秘密度」の高いものを感じ取って選ぶといいでしょう。その人にしか書けないことが詰まっている本を、さがして読む。

といっても、はじめはどのエッセイがどれくらいの「秘密度」かわかりません。

そこでまずは、だれもが名前を聞いたことがあるような有名なエッセイストが書いたエッセイ集を手に取ってみてください。

なぜなら、広く長く読まれている人気のエッセイには、例外なくすばらしい「秘密」が書かれているからです。

1章でお話ししたとおり、エッセイのいちばんの価値はその「秘密」。

名作エッセイとは、濃い花の香りに引き寄せられるように、強い「秘密」に惹かれた読者によって読み継がれてきたものなのです。

逆に、あまり読まれていないエッセイがあるとしたら、それは多くの人にとって特別な「秘密」が書かれていないからと言えるでしょう。読んだ人におどろきや気づきを与えられないと、あまり読まれない作品となってしまいます。もちろん、隠れた名作エッセイもありますが。

エッセイを読み慣れてくると、冒頭の数ページに目をとおした時点で「これは『秘密度』が高いエッセイだな」とわかるようになります。自分にはない「視点」で、自分の知らない、想像したこともないような発見が書かれている。こうした出会いをつくるためにも、やはり本は書店で選ぶのがたのしいものです。なんとなく手に取ってぱらぱらとページをめくってみて、「この人と対話したい」と感じるかどうか、ということです。

たくさんの本に触れていると、悪い意味で「引っかかる本」に出会うことがあります。書いてあることのせいか言葉づかいのせいかわからないけれど、どうしても好きになれない本。ちょっと嫌悪感を抱く本。

そんな本とのつきあい方も、「全肯定」が基本です。

嫌悪感を抱いたときに、すぐに「もう読むのをやめよう」と見切りをつけるのはもったいない読み方です。自分と同じ考えの人としかコミュニケーションを取らないようなもの。

僕は基本的に、一度手に取った本はなるべく最後まで読みきります。

「そうか。こういう考え方や感じ方もあるんだなあ」と受け入れれば引き出しも増えるし、自分の偏見や思い込みに気づかされることもあります。

文章を書いているのは人間なのですから、「ちょっと合わないなあ」と感じる本があってあたりまえです。「同意はできないけれど、あたらしい考えを知ることができた」と思えば、その本に対する感謝の気持ちも湧いてきます。

また、僕は「この本のよさが理解できないのは、自分に足りないものがあるからかもしれない」と考えるようにしています。書き手が間違っているのではなく、自分が未熟だからつまらなく感じてしまうのだろうなと。

実際、時間を置いてから再読すると、1回目より「なるほど」と思えることも少なくありません。

合わない本に出会っても、かんたんに否定しない。

読書も「第一印象で決めつけないこと」が大切だということです。

・広辞苑はロマンチック

『広辞苑』。日本人ならほとんどがその存在を知っている、日本語国語辞典です。

僕は『広辞苑』を開くことも、読書のひとつとしてとらえています。一般的にはわからない言葉を調べるための辞典ですが、僕にとってはおもしろい「読み物」なんですね。デスクの上にいつも置いていて、朝起きてすぐのタイミングやちょっとひと息つくとき、家の中でふと気が向いたタイミングでのんびりと眺めています。

なにか調べたいものがあるわけではありませんから、適当に開いて目に入った言葉の説明や文例を読みます。「こんな美しい言葉があるんだ」「こんな意味があるんだ」と純粋に言葉の知識が増えることもあれば、その文例にしみじみすることもあります。

『広辞苑』は、言語文化の宝。

ほかの辞典や辞書の類いとは一線を画す、決定版なのです。

『広辞苑』は最初の編者である新村出（しんむらいずる）さんが、１９５５年に岩波書店から刊行。以来、ほぼ10年に一度改訂版が出されていて、現在第七版となっています（２０２３年現在）。累計発行部数は、なんと１２００万部。国語辞典と百科事典の両方の役割を持ち、およそ25万語の言葉が収録されています。

『古事記』や『万葉集』の古語も載っているうえに、最新の第七版が編まれるときには1万語を追加しています。初版からすると5万語を追加しているそうで、まさに時代と共に歩んでいる辞典と言えるでしょう。

僕は、このぶ厚い知のかたまりに、日本語の文化がすべて詰まっているような気すらするのです。

『広辞苑』のおもしろさは、言葉の解説なのに物語のような深みを感じるところです。開いたことのないページを眺めるたびに、ひとつの言葉を知るごとに、あたらしい世界を知ることができます。ふだん自分が使っている言葉が文化であるということにも気づかされるのです。

ある言葉の文例として、古典作品や100年ほど前の新聞記事などが用いられることもあります。その言葉が持つ時間の長さに思いを馳せつつ、当時はどんな世の中だったんだろうと文例から想像はふくらんでいきます。まるで旅をするかのようです。

また、小説を文例に用いている項目も多いため、ブックガイドとしても使えます。文例に用いられた文芸作品のフレーズを読んで「すてきだな」と思ったら、その作品を手に取ってみる。ふしぎなことに、たった1フレーズでも「ああ、きっとこの本を好きになる」と感じるもので、しかもその感覚はだいたい当たります。

もちろん僕にとっては「本」ですから、第一版の編者である新村出さんに対する興味も尽きません。「なぜこれをつくろうと思ったのか」「なぜつくらなければならなかったのか」といった動機は、いつも考えています。

『広辞苑』をめくっていると、あっという間に時間が経ってしまいます。ある意味、僕のいちばんお気に入りの暇つぶしかもしれません。もしも世の中から本がなくなってしまっても、最後に『広辞苑』さえあればいいなと思えるほどです。

「子どものころは自宅に辞書がたくさんあったけれど」と言う方は多いのですが、このデジタル時代、紙の辞典を持っている方はだいぶ少ないようです。

しかし、『広辞苑』が持つロマンは、紙だからこそ。『広辞苑』自体は電子書籍化していませんが、もししていたとしてもページをぱっと開き、そこから世界が広がっていく体験のために紙を使いつづけるでしょう。

いま世の中で起こっていることは、SNSやポータルサイトのニュースを見るとインプットできますが、それとはまったく異なるベクトルの「流れない知」が『広辞苑』には詰まっています。

「辞典を読む」というあたらしい体験。まずは10分眺めてみてください。きっと、すてきな言葉の旅が待っています。

・本もマンガも、映画監督になれる

突拍子もないことを言うようですが、読書は、まるで自分が映画監督のようになれるのが魅力のひとつです。

本は、脚本。その文字を追いながら、頭の中で自由に映像をつくることができます。しかも何度も繰り返し読む本だと、自分のコンディションや状態によって、カメラワークから雰囲気、音楽、セリフの語り方までがらりと変わります。毎回違う映像になる。映画やドラマなどの映像作品と比べて、想像力を使うことで好きなように創作できるから本はおもしろいのです。

読みながら想像力を使うのは、マンガも同じです。絵が描いてあるからといって、ラクに読めるわけではありません。

マンガは、じつは情報量がとても少ないコンテンツです。

キャラクターのセリフと絵、ときどきモノローグやテロップによって物語が進んでいきますが、活字の本に比べるとずっと「言葉の数」が少ない。

なにかを説明したり伝えたりするのに、言葉ほど便利なものはありません。この本のように文字だけで書かれた本と比べると、フキダシに入るだけの言葉しか使えないマンガは情報が厳選されています。

つまり、マンガを読むときは、セリフやキャラクターの表情から、本で言うと何ページ分もの背景（設定やキャラクター、その関係性など）を深く読み解かなければならないのです。書かれていないことを想像して、映像にしていく。

子どものころに「マンガばっかり読んで！」と親から叱られた人も多いと思います。きっとそれは、マンガを読むのは頭を使わない、かんたんな作業だという前提があるのでしょう。

けれどもマンガも活字の本と同じように、いえ、それ以上に読解力や想像力を使います。なによりおもしろい作品が山ほどあるのに、手を出さないのはもったいない。僕は、マンガも大好きです。マンガに育てられたといってもよいでしょう。

僕はさまざまな写真集を眺める時間もとても好きで、ときに1枚の写真を1時間かけて見つめつづけることもあります。何度も見る写真には、そのたびに感動と発見があります。その写真の裏側にあるストーリーを想像して、頭の中で映像作品を創作する。すばらしい写真になると、1枚の写真から1冊の本ができるほどのストーリーを「読む」こともあります。

映画監督となって、何度もたのしめる。その自由さや余白が、読書の豊かさなのかもしれません。

僕の教科書的エッセイ

皆、僕にとって憧れというか、自分らしい生活の実践を、エッセイを通じて教示してくれた人だ。読んでわかるのはとにかくそのことに詳しいこと。詳しければ書かずにいられない。それがエッセイ。何に詳しいのかは、ぜひ読んで触れてほしい。僕の考えるエッセイスト（生き方）としてのお手本。

串田孫一『山のパンセ』（ヤマケイ文庫）
山にまつわる思想とその日々を綴った名エッセイ。彼こそが自由人であり賢者といえよう。

志賀直哉『志賀直哉随筆集』（岩波文庫）
「朝顔」は僕の座右宝。そのまなざしと「私は…」とはじまる文章の初々しさにはっとする。

向田邦子『父の詫び状』（文春文庫）

ものごとのおもしろさ、人のおろかさ、取るに足りない味わいを愛した文章を読むしあわせ。

伊丹十三『ヨーロッパ退屈日記』（新潮文庫）

これだけは知っておこう。大人になるためのそれは、本物、本当、本質。まさに教科書。

内田百閒『百鬼園随筆』（新潮文庫）

子どものままに、わがままに、好きなことをもっと好きなままに生きるお手本である。

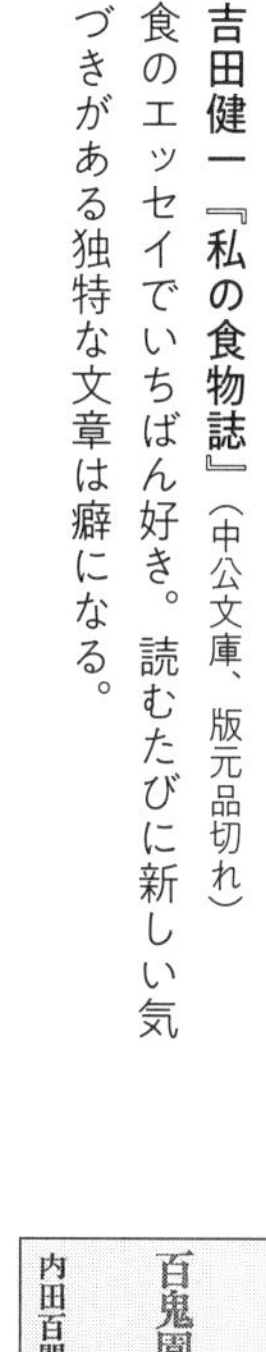

吉田健一『私の食物誌』（中公文庫、版元品切れ）

食のエッセイでいちばん好き。読むたびに新しい気づきがある独特な文章は癖になる。

日高敏隆『ぼくの世界博物誌』（集英社文庫）

元祖「ざんねんないきもの辞典」を数々書いた、動物行動学者の旅行記がおもしろくないはずがない。

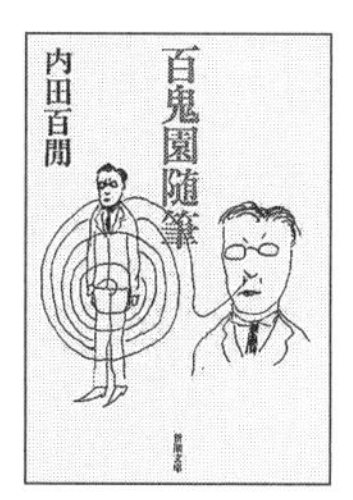

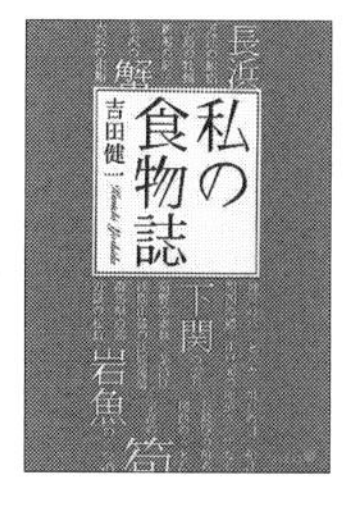

長田弘『アメリカの61の風景』（みすず書房）
ひとりで旅すること、ひとりでなければ書けないことを、すべて彼から教わった。

須賀敦子『トリエステの坂道』（新潮文庫）
「ふるえる手」というエッセイが好きで何度読んだかわからない。ふれあいとは何かを考えさせられる。

安西水丸『青山の青空』（新潮文庫、版元品切れ）
水丸さんになりたいといつも思っていた。彼のように街を歩きたかった。そして書きたかった。

丸谷才一『思考のレッスン』（文春文庫）
いつまでもその話を聞いていたいと思うような文章のお手本。ひたすらおもしろい。

宮本常一『忘れられた日本人』（岩波文庫）
あるく、きく、みる。その旅で見つけた忘れられたこと。エッセイとは探求、好奇心でもある。

和田誠『銀座界隈ドキドキの日々』（文春文庫）
回想記というエッセイが好き。あの日あの頃の青春。
友だちとの交友を僕もいつか書きたい。

北大路魯山人『魯山人の料理王国』（文化出版局）
魯山人からは、正しさ、美しさをもう一度捉え直す
ということを教わった。名著中の名著。

佐藤雅彦『考えの整頓（とん）』（暮しの手帖社）
もっともおもしろくてたのしいことは考えてみるこ
と。大切なのは、まずは自分で考えること。

椎名誠『新宿遊牧民』（講談社文庫）
エッセイとの出会いは椎名誠さん。エッセイを読む
楽しさを教えてくれたのも椎名誠さん。愛読歴は
四十年。

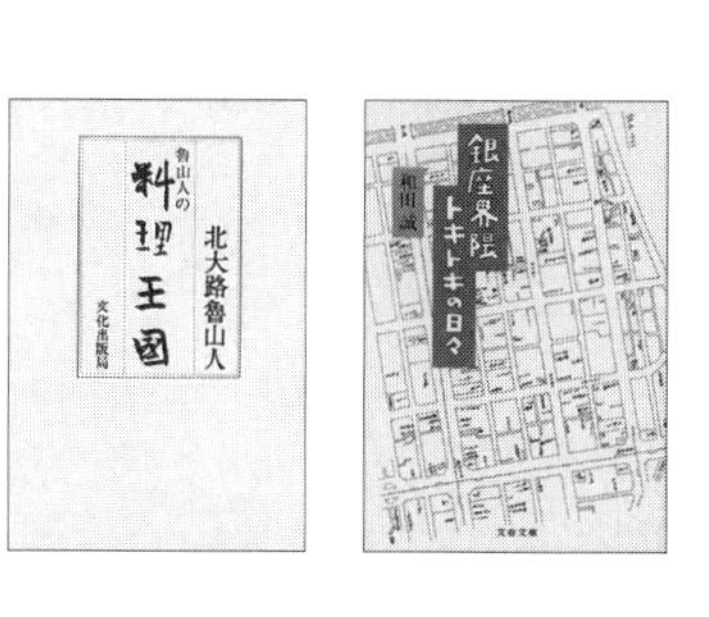

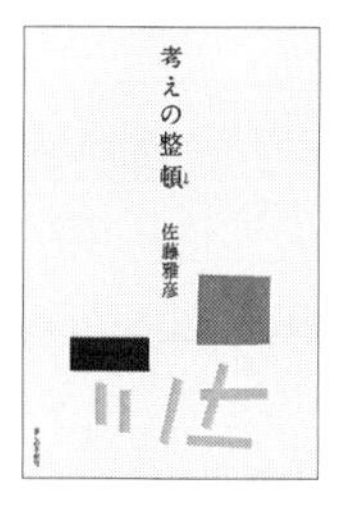

第5章

エッセイの書き方

・どんな「秘密」から書くのか考える

「はじめに」でも触れたように、本書はエッセイストの思考やセンスをお伝えする本、そして新しい生き方を提案する本です。

ここまで読んできて、実際にエッセイを書きたくなったという方もいらっしゃるでしょう。エッセイストのように考えるだけでなく、それをアウトプットしてみたいと。

僕も、みなさんがせっかく「エッセイストのように考えた」のであれば、実際にエッセイを書いてみてほしいと思います。考えるだけよりも、それを言葉や文章にすることでもっと深く、エッセイとはなにかを「わかる」ことができますから。もし少しでも興味があるのであれば、ぜひエッセイを書いてみてほしい。

そこでここからは、いつも僕がどんなことを意識しながらエッセイを書いているかをご紹介していきたいと思います。

もちろん、エッセイはとても自由なものです。正解も不正解もありません。だから、

「こうでなければいけない」といった決めごとに縛られないほうがいいと思っています。

けれど、はじめは何かしらの指針があったほうが不安は取り払えるし、ハードルも下がるものです。

ここまでお伝えしてきた「エッセイとはなにか」「エッセイストという生き方」「書くために考える方法」「書くために読む方法」を踏まえ、実際にどのように書いていけばいいのか。

僕なりの、いわば「文章術」。参考にしていただければと思います。

まず、エッセイを書こうと思ったときの最初の壁である、「なにを書くか」。

これはもちろん自分の「パーソナルな心の動き」や「秘密」を書いていくわけですが、はじめに「どの秘密」を書くか、選び方のコツがあります。

秘密には大きく、「自分自身の秘密（内側の秘密）」と「自分が見つけた秘密（外側の秘密）」があります。「なぜ自分はこう考えるんだろう」からさぐっていった「秘密」と、たとえば「夫婦とはなんだろう」というテーマからさぐっていった「秘密」です。

これからエッセイを書きはじめるというみなさんには、後者の「自分が見つけた秘密」から書くことをおすすめします。

自分のことを書くほうがかんたんだと思われるかもしれません。

自分の内面や過去を掘り下げた「秘密」を冷静にエッセイに書くのはとてもむずかしいことです。慣れないうちは感情的になってしまったり、自分を傷つけたりすることにもなりかねません。

ですので、「書きはじめよう」の段階では、自分の「外」のものから書く。自分が見つめたもの、体験を通じて向き合ったものについて考えたことを、ひとつのストーリーに乗せてみる。

そこからスタートさせましょう。

そして、具体的になにを書くか考えるときには、日々を残しているメモが役に立ちます。3章でお話しした、小さな手帳に書いておいたメモです。

読んだ本や観た映画の感想、食べたもの、出会った人、おでかけの記録……「できごととそのときの感情」がセットになっていますから、エッセイの種をさがすのにとても頼りになります。

なにを書こうかなと思ったときにメモをぱらぱらと見返すと「あ、そういえばこんなことがあって、こう感じて、こんなふうに考えたんだった」と思い出す。その「そういえば」が、書く手がかりになるのです。ちょっと聞いてもらってもいいかな、と話しかける感じで書いてみるとよいでしょう。

・自分のために書き、人に読んでもらう

エッセイを書くときは、はじめに「宛先」を考えるといいでしょう。

僕はいつも、「この文章はだれに向けて書こうかな」と考えてから書きはじめています。「20代のときに知り合ったあのお兄さんに届けよう」「近所のカフェではたらいているあの女性に読んでほしい」と、具体的に誰かの顔を思い浮かべながら書くのです。

その人に話を聞いてもらいたい。けれど実際に聞いてもらうことはできない。だから文

章にして届けるんだ、という手紙のような感覚です。

これはエッセイだけでなく、ツイッター（現X）のような短い文章もそうです。「伝えたい」という思いが、書くモチベーションにもなっています。

そして、書いたもので悲しむ人がいないかどうかも同時に考えます。内容や表現、言葉づかいなど、自分のエッセイがだれかを傷つけたり、いやな思いをさせたりしないかはいつも気にかけています。

つまり、「文章の先には生身の人がいる」のです。

ですので、僕にとってエッセイというのは、先に書いたように手紙に近い存在かもしれません。

そして実際に、もしちょっとでも「自分の見つけた『秘密』をだれかに伝えたい」という気持ちがあるのであれば、書いたエッセイを友人や家族など身近な人に読んでもらったり、インターネット上で公開してみるといいでしょう。

いまはブログサービスやウェブサービスの「ｎｏｔｅ」などを使えば、だれでも書いた文章をオープンにできます。職業エッセイストでなくても、自分の「秘密」を世の中に発信できる、いい時代だなと思います。

書いたエッセイをオープンにしたほうがいい理由は、ふたつあります。

まず、自分の「秘密」を他人と共有することで、あたらしいコミュニケーションが生まれることがあるからです。「こんなものの見方があるんだ！」と感動してもらえたり、「自分はこんなふうに感じた」とコメントをもらえたり。

その反応を自分が受けとることでまた感情が揺れますし、読み手の「視点」にはっとすることもあります。コミュニケーションによって考えが広がったり深まったりするのです。たくさんの人に読んでもらおうということではなく、読み手が1人、2人いるだけでも大きな刺激になります。また、その刺激によって自分のインプットのアンテナの感度も高まっていくはずです。

もうひとつが、読み手との関係性によってシンプルに文章がよくなるから。「伝えたい」

「読んでほしい」という気持ちを持って書くことで、よりわかりやすく、リズムのいい、整理された文章を書くことができます。

「どうせだれの目にも触れないし」と思っていると、ていねいに書いているつもりでもわかりにくさが残ってしまったりします。

「言いたいことを誤解されないようにきちんと伝えたい」と思いながら書けば、より客観的に自分の文章を読むことができます。話の流れから言葉の選び方にまで、意識が向くでしょう。

もちろん、読んでもらうために書くのは違います。あくまでエッセイは、自分のために書くものです。

けれども同時に、エッセイは発信することでようやく完成するような気もしています。本質的に、「だれかに読んでもらうもの」なのです。

・自分の文体とはなにか

書き手による文体の違いも、エッセイを読むおもしろさのひとつです。情熱的だったり、繊細だったり、ウイットに富んでいたり、比喩が独特だったり……。それぞれの書き手に個性があります。文体には必ず人柄がでるものです。

僕もよく、「書き手の名前を先に見ていなかったとしても、弥太郎さんの書いたエッセイはすぐにわかります」と言っていただけます。

ただ、僕は自分らしい文体で書こうと意識したことはありませんし、意識したところで根本的には変えられないものなのではないかと思っています。

文体とは、「話し方」に近いものだと思います。話し方とは人柄ですね。「書き手が読み手にどう話しかけるか」が、文体の正体です。書き手の人柄や、「この話をどう語ればよりよく伝わるだろう」という心くばりがあらわれるものですから、「文体とは親切心のあらわれ」だと言い換えてもいいかもしれません。

文体とは「話し方」である、というのはエッセイの定義を考えると理解しやすいと思います。本書で僕は、エッセイとは「秘密の告白」だと言っていますが、「告白」とはだれかに対してするものです。決してひとりごとではないし、誤解されたり、思いが伝わらなかったりしたら悲しいものです。

ですので、伝わるように書こうとするのが大事なのです。

ただ漫然と心の中を文字に起こしていくのではなく、すっと理解できるような文章を意識する。誤解なく伝わるような言葉を選び、大切なことは何度も繰り返し言う。しかもたのしく、おもしろく。自分だけがわかるような表現で済ますのではなく、相手に寄り添った説明をすることとです。

こうした心くばり(いわば親切)の方向性は、書き手の人柄によって違っています。それが文体の違いにあらわれてくるのです。

独りよがりな文章を書く人は、実際もきっと相手をあまり意識せずに話すのでしょう。

勢いのある文章を書く人は、たたみかけるように話す人なのかもしれません。ユーモラスな表現を好む人は、サービス精神があるのでしょう。

とくにパーソナルなことを記すエッセイは性格が出ますし、自分の親切心を偽ることはできません。だからこそ、人によってさまざまな文体を味わえるのです。


僕たちは知らず知らずのうちに、性格や生きざまによって「自分らしい文体」を会得しています。4章でお話ししたように、スティーヴン・キングの教えを受けて書き方を変えてみても、次第にもとに戻っていってしまうわけです。

書きはじめのころは、気取ってかっこいい雰囲気の文章を書きたくなるものです。しかし、それはサイズの合わないスーツを着るのと同じ。自分は窮屈だし、それを目にする相手もなんとなく居心地が悪く感じられます。

器用な人や書く技術のある人は、文体を使いこなすことで「自分がなりたい人間像」をつくりあげることは可能かもしれません。

それはエッセイストとしてあまりいい佇まいではないと、僕は思います。

読む人を思いやって、親切に書く意識だけを持って、あとは肩の力を抜いて書く。

ありのままのあなたでいいのです。

・エッセイに「演出」はいらない

だんだんエッセイを書き慣れてきた、というときに注意してほしいのが「演出過多」になってしまうことです。

少なくない方がこの道をとおってきているのですが、書き手としてリズムをつかんだり、エッセイを書くのがおもしろくなってきたりすると、文章に「演出」を足しはじめる傾向があります。サービス精神が出てきて、少しばかりエンタメを意識してしまう。

要するに、「もっとおもしろく読んでほしい」と色気を持ってしまうわけです。

必ずしもその気持ちが悪いわけではないのですが、演出が行きすぎると「飾りの多い創作」になってしまいます。

「秘密の告白」であるはずのエッセイから遠ざかってしまうのです。

じつは僕も、エッセイを書き慣れてきたころ、「よりおもしろい文章」を書きたくなったことがあります。正直に言うと、実際に、少し演出をつけて書いた時期もあるのです。実際のできごとを、ちょっとだけ強弱をつけて表現する。話を盛って、ストーリーにドライブをかける。まるきりうそではないけれど、「それってほんとう?」と言われるとちょっと決まりが悪い……というくらいの「演出」です。

そうして書いたエッセイは、もしかしたらドラマチックな作品で、読み手にとっては没頭できる文章になっていたかもしれません。そのままつづけていたら、もっとたくさんの人に読まれていたかもしれません。

しかし、書いたあとの気分がちっともよくなかったのです。いつまでも罪悪感が湧いて仕方ありませんでした。

後味の悪さで自分が落ち込んでしまうし、なによりそのエッセイを心から好きになれない。そしてやはり、エッセイにほんとうのこと以外を書くのは違うと思いました。

あたかもとなりにいる人の話を「うんうん」と聞くように読めるのが、エッセイのよさであり醍醐味。いかに「告白的」なエッセイを書けるかが、書き手と読み手、両方にとってしあわせな読書体験となるはずです。

これまでたくさん書いて、たくさん読んでもらってきたからこそ、わかります。

正直に、照れずに、飾らず、淡々と。

自分の心にあるほんとうのことをありのままに告白している文章が、人の心にいちばん届くし、いつまでも残りつづけるのです。

・プロットをどうつくるか①

エッセイを書くうえで構成（プロット）をどうつくるか、みなさん気になるようです。でも、あまりプロット自体に固執する必要はないと僕は思っています。

僕は（そしておそらく多くのエッセイストが）構成について細かく考えるタイプではありませんし、そのほうが肩の力が抜けた、素直で正直な文章になるような気がします。

それを前提として、エッセイには大きくふたつの書き方があります。

ひとつめが、プロットをあらかじめつくらず、あまり深く考えずに自由な気分で書きながら考える方法です。

どんなことが起こって、自分がどう感じて、それについてどう考えたのか、心の様子や発見したことを順繰りに書いていくシンプルな書き方です。

自分の心の中を思いつくまま、考えながら出していく。

エッセイの基本の書き方だと言っていいでしょう。


エッセイを読んでいて「おもしろい！」と唸(うな)るのも、思いがけないところに話が飛んだときです。旅行の話だと思って読んでいたらいきなり小学生のころの思い出話になったり、きのう起こったできごとに飛んだり、まったく違うテーマに話が変わったり。

昔は「どうしてこんなにおもしろいエッセイになるんだろう？」と思っていたのですが、次第に、そういう文章を書く人は「書きながら考えている」ということがわかってきました。まるで、ジャズの演奏のように。書きながらふと思い出したり話がつながったりしたものを順繰りに出すことで、ユニークなエッセイになるのです。

僕は4章の最後でご紹介した作家の丸谷才一さんのエッセイがとても好きですが、彼のエッセイはまさに「飛ぶ」エッセイです。

読み手が想像もしていなかったところに、話がどんどん飛んでいく。ひとつのエッセイの中で、3つも4つも話題が展開していく。たとえタイトルに「旅の話」と書いてあったとしても、旅の話で終わらない。

その自由さが、うらやましいくらいです。

この独特のおもしろさは、おそらくプロットからは生まれません。いわば即興的なおもしろさで、僕はそこに強く惹かれるのです。

・プロットをどうつくるか②

ふたつめが、プロット的に「はじめと真ん中と終わり」をあらかじめ決める方法です。

どんなことを書くか、それぞれ1～2行で書き出して全体のプランを立ててから、実際に手を動かします。

どこから書きはじめるか。どんなふうに展開するか。それをどう締めるか。「はじめと真ん中と終わり」はとても大切なヒントです。

この3つの要所が決まっていたら、途中で迷子になることはありません。最後まで書きることができるでしょう。

僕は、ツイッターで140字の文章を書くときも、手紙を書くときも、仕事でなにか書くときにも、この3つのポイントを意識しています。はざまは考えながら書いていくけれど、骨組みは決めておく、という感じですね。

「はじめと真ん中と終わり」は、パズルのようにそれぞれその部分を抜き出して読んでも成立することが大切です。

1~2行の短い文章であっても、それぞれ「どうなるんだろう?」「おもしろい話だな」「そんな発見があったのか」というふうに興味を持ってもらえれば、それは最初から最後までおもしろいエッセイになると言えます。

これはずいぶん昔、シェイクスピア作品は「はじめと真ん中と終わり」でできているという話を聞いたことがきっかけで意識しはじめた書き方です。自分でもやってみたところ調子がよく、定番の書き方になっていきました。もうすっかり、僕のスタイルというか「型」になっています。

プランを立てる書き方の応用としては、プロットを紙芝居にする方法もあります。「はじめと真ん中と終わり」を紙芝居にするのです。

紙芝居と言っても文字だけのシンプルなものですが、長めのエッセイ、あるいは本や雑誌をつくるときはいつも紙芝居を手書きしています。

ものにもよりますが、だいたい「はじめ」1枚、「真ん中」5枚、「終わり」1枚が基本です。『暮しの手帖』でも毎号のように、表紙、特集、連載と、構成を決めるために紙芝居を自分でつくっていました。

これは、読んでいる人がわくわくして「早く次をめくって！」と思えるような構成になっているかを確認するために行います。流れに無理があったり引っかかったりするときは、まだ詰め切れてない証拠。その状態で書きはじめると苦労するので、「考える」に戻ります。

まずは「めくりたくなる紙芝居」になるまで、ほんとうに伝えたいことをよく考えて整理しましょう。そして、それぞれの要素やエピソードがうまくつながっているかをチェックしていきます。

エッセイは小説ではありませんから、奇をてらったりドラマチックな構成を目指さなくて構いません。「共感を呼ぶ」。これだけでいいのです。

どう語れば無理なく気持ちよく理解してもらえるかが、なにより大切です。

・エッセイのあるべき長さとは？

エッセイは、気楽に読めるほうがいい——僕はそう考えています。

イメージでいうと、コーヒーを一杯飲みながら読んで「ああ、よかったな」と余韻にひたれるくらいの長さを意識しています。

これを具体的な文字数に換算すると、800字くらいでしょうか。あくまでも僕の好みですが、僕自身、原稿用紙2枚分をひとつの目安としてエッセイを書くことが多いです。理想を言えば、400字で言いたいことをすべて言い尽くしたい。ぱっと読めて、心にいつまでも残るエッセイを書きたいと思っています。

もちろん、エッセイは自由であることが大前提。まずは、長さは気にせず心のままに書いてみるのがいいでしょう。

矛盾していても、不完全でも構いません。とにかく一度完成させてみることです。その粗さが個性だったり、むきだしの感情だったり、ほんとうの言葉として伝わってくることだってあります。

そのエッセイが、100字で完成してもいいのです。100字なんてエッセイと呼んでいいのかと思うかもしれませんが、なります。詩を読んだとき、長さに関係なく「はっ」とするのと同じです。

僕が書いたとても短いエッセイがあります。読む人によっては、「これがエッセイ?」

と首をかしげるかもしれませんが、ぜひ次の文章を読んでみてください。

八神純子の『ポーラー・スター』は中学生のときから大好きだった歌。ウォークマンで聴いていたら、飛行機が大きく旋回して窓からサンフランシスコの街の景色が見えたのだ。思い出すといまでも胸が詰まる。教えて私の未来。

およそ100字。僕が18歳ではじめてアメリカに行ったときの情景を描いたエッセイです。

飛行機の揺れ、サンフランシスコの灯り、言葉にならない高揚、耳に流れる『ポーラー・スター』を思い出して書きました（「教えて私の未来」は、『ポーラー・スター』という歌のサビの最後の歌詞です）。

圧倒的な「秘密」のあるエッセイではないかもしれませんが、心が激しく動いた、絶対に忘れたくないあの時を見つめて切り取った、とてもパーソナルでプリミティブなエッセイです。

まずは書きたいことを自由に書いてみましょう。

たくさん書いてみて、慣れてきたら字数を意識してみる。４００字なのか８００字なのか、はたまた１５００字なのか２０００字なのか、自分にとって心地のいい長さを見つけていけばいいのです。そのセンスも自分自身なのですから。

・読み手を引き込む３つの書き出し

僕がエッセイを書きはじめたとき、悩みがちだったのが「書き出し」でした。書きたいテーマは見つかっても、じゃあどうやって書きはじめればおもしろいんだろう、読んでもらえるんだろうといつも頭をひねっていた気がします。

「ある日……」というような書き出しがあります。ほとんどのできごとに当てはまる無難な書き出しではあるけれど、どうも文章の勢いがつきません。話がうまく転がっていかず、ぎこちなくなってしまう。

そんな僕が、どんな書き出しの言葉がいいか考え、なるほどと思った書き出しが３つあります。

ひとつが、まず「感情」です。このエッセイを書こうと思った自分の感情の動きを、素直に書く。

たとえば「おどろき」から書きはじめると、問いに答えるようにするすると話が流れていきます。「朝起きて窓の外を見ておどろいた」と書けば、読み手は「どうしたんだろう」と思います。そこで、「なぜならこうだったから」と話が進む。それでまた、「なぜそうなったんだろう」と疑問を抱く。その答えがセットになる。問いに答えるようにして書き進めることができるのです。

「感情の書き出し＋問い」はひとりでキャッチボールをするようなもの。なかなかスムーズに書けないという人にもいい方法だと思います。

もうひとつの書き出しが、「疑問」。人は問いを目にすると答えたくなるものですし、答えたら答え合わせをしたくなるものです。

「今週、どんな朝ごはんを食べましたか?」という一文があれば、反射的にここ数日の朝食を頭に浮かべるでしょう。「どんな人をセンスがよいと言うのだろう?」という一文があれば、自分の考えるセンスのよい人を言語化しようとするはずです。

こうして疑問を投げかけることで、読み手を引き込んでいくのです。

余談ですが、90年代に入ったころ、雑誌『BRUTUS』(マガジンハウス)がこのスタイルの特集タイトルをつけはじめたと記憶しています。「きみはフェルメールを見たか?」「国宝って何?」というような。

いまはもう雑誌の特集や本のタイトルに「?」をつけるのはすっかりあたりまえになりましたが、当時はめずらしかったのです。

そんなふうに問いかけられると、読み手はどんなことが書いてあるのか知りたくなります。つい、その雑誌を手に取ってしまう。エッセイストの僕は、「文章の書き出しに使うような言葉を雑誌の特集に使うなんて、いい方法だなあ」と感心したのを覚えています。

このふたつは、友だちに話しかけるような書き出しだと思ってください。

友だちとの会話を思い出してみると、「きのう、電車でびっくりしたんだけどさ」とか、「最近おもしろい映画観た？」というふうにはじまるでしょう？　会話のはじまりは「おどろき」や「疑問、質問」であることが多いのです。

さらに、「回想」も用いやすい書き出しです。

「十一歳の夏から秋にかけて、新潟の妙高高原で一ヵ月間過ごした」（僕のエッセイ集『今日もごきげんよう』所収「会いたい友だちがいる」より）。

子どものころや若いころというのは、読み手のほぼ全員が経験したことのある時代です。そのため共感もしやすく、イメージもしやすい。「これからどんな話がはじまるんだろう」と興味を持ってもらうことができます。

これは、友だちと一緒にのんびり散歩をしながら、「そういえば昔……」とぽつりとつぶやくような書き出しですね。

「感情」「疑問」「回想」。

これらはいずれも、読み手に興味を持ってもらい、期待してもらうためのスタンダードな書き出しです。

演出過多になるとくどくなってしまいますが、少しだけ相手にわくわくしてもらうための、ちょっとした親切心でもあるのです。

・言いたいことは「ひとつ」だけ

「伝えたいことを、ひとつだけ」。

これは『暮しの手帖』時代から、編集部員やライターの人にことごとく言いつづけてきたことです。

人は、いろいろな情報を知ったり、見たり、聞いたり、感動したりすると、なるべくその多くを書きたくなるものです。あれもこれもと伝えたくなるし、伝えなくてはと使命感を持ってしまうところもあります。

しかし、そういう文章は「説明文」や「情報のパッケージ」になってしまいがち。いちばん伝えたいメッセージが伝わらないものになってしまいます。読み手にとっても、役には立つけれどおもしろくないエッセイになってしまうでしょう。

ですので、いちばん伝えたいことを、ひとつだけ。手の中にたくさんのすてきな情報を持っていても、その中のどれかひとつだけを選び取って書くのです。ほかの要素は思い切って捨ててしまう。

そしてその「ひとつ」について、深く深く書いていきます。

同じ文章にいろいろな要素が詰め込まれていると、すべてが同じ強さ、同じ大切さで並んでいるように見えてしまいます。

ケーキについてエッセイを書くとして、「これはおいしかった、あれもおいしかった、それもおいしかった」と書けば、「全部同じくらいおいしかったんだな」というふうに伝わってしまうでしょう。すると読み手は、「おいしいケーキの情報をたくさん得られた」という淡々とした読後感を持ってしまいます。

そうではなく、ひとつの「とびきりおいしいケーキ」について自分が抱いている愛情や、おいしさについて徹底的に書く。そのケーキが持っている「秘密」を見つけて書く。すると読み手もその熱量に動かされ、もっと没入できるのです。

時おり一般の方のエッセイを読んでみると、傾向としては、「詰め込みすぎ」が多いように思います。文章についてアドバイスを求められるときも、「いろいろあれこれと書きすぎているので、どれかひとつに絞りましょう」と言うことは多いです。読み手はあなたがいちばん伝えたい「ひとつ」についてもっと知りたいんですよ、と。

この「ひとつ」についてのとびきりの例が、向田邦子（むこうだくにこ）さんの有名なエッセイ「字のない葉書」です。

この作品は戦時中の家族の様子を描いたものですが、主題は戦争ではなく「お父さんの愛」。日頃はふんどしひとつで家の中を闊歩し、大酒飲みで妻と子どもたちに手を上げるようなお父さんですが、筆まめで手紙の中だけでは優しかったと言います。

そして、向田邦子さんの下の妹さんが、甲府へ疎開したときのこと。

父はおびただしい葉書に几帳面な筆で自分宛の宛名を書いた。

「元気な日はマルを書いて、毎日一枚ずつポストに入れなさい」

と言ってきかせた。妹は、まだ字が書けなかった。


（『新装版　眠る盃』所収、講談社）

はじめは大きなマルが書かれて届いた葉書でしたが、次第にマルが小さくなり、そしてバツになり、ついにバツの葉書もこなくなります。そして身体を壊した妹をお母さんが迎えに行くことになりました。

夜遅く、出窓で見張っていた弟が、

「帰ってきたよ！」

と叫んだ。茶の間に坐っていた父は、裸足でおもてに飛び出した。防火用水桶の前で、痩せた妹の肩を抱き、声を上げて泣いた。私は父が、大人の男が声を立てて泣くのを初めて見た。（同）

「お父さんは子どもを深く愛していたから、あんなに泣いたのだ」とは書かれてはいません。でも、向田邦子さんが書きたかった「ひとつ」が伝わってきませんか。ひとつだけだから、強烈に伝わってくるのです。

もしここに戦争の悲惨さや理不尽さ、疎開していない自分たちの生活の不自由さといったほかの話が入り込んできたら、きっとぼやけたエッセイになってしまっていたでしょう。

とくにインターネット上に文章を書くと字数制限がありませんから「あれもこれも」になりがちです。

しかし、「せっかくだから入れてしまおう」は、読み手にとってじゃまな文章であることが多い。「自分はいま、この『ひとつ』について書きたいんだ」とたしかめてからキーボードに指をおろしましょう。

エッセイとは、情報ではありません。秘密を語った告白文です。

「あれもこれも」ではなく、ひとつに絞る。広さではなく深さを目指すことです。

あなたが選んだその「ひとつ」こそが個性であり、「視点」であり、そのエッセイのおもしろさのです。

・なにを書かないか①

自分がとくに詳しいジャンルは、エッセイのテーマには向いていません。誰も知らないであろう自分だけが知っているようなことはつい教えたくなるし、いいエッセイが書けるような気がしてしまうものですが、ぐっとがまんします。

なぜかというと、「わかっている人が、わかっていることを書いている文章」はとてもつまらないからです。

「自分がよく知っていること」は、すでに自分は答えがわかっているということです。なにがすごいのか、どんな魅力があるのか、そもそもどういうものなのかといった「秘密」がわかりきっている。

そこまで到達できたことはすばらしいのですが、エッセイストとしてはあたらしい発見がないまま書くということになります。たとえば「器のお店が教えるいいお皿の選び方」のように、自分にとって自明のことを紹介する「情報」や「説明」になってしまう。

エッセイとは、いわば感動のレポートです。自分が見つけた発見に自分で感動して、それをレポートして伝えるもの。「わかった！」までのプロセスがあるからこそ、いいエッセイは書けるのです。

「これについてはもっと詳しくなるまで書いちゃいけない」と考える人が多いのですが、じつはまったくの反対なんですね。

むしろ、「詳しくなるまでの途中」こそがエッセイの宝庫です。

僕自身、クラシックカーやギター、本など「詳しい」と言えることはいくつかあります。でもそういうものについては、ふしぎなほどうまく書けません。書くことが決まりすぎていて、論文のようにかたくなってしまうのです。

それはやはり、その対象について知り尽くしてしまってあたらしい感動がないまま書くからですね。感動がないと、説明になる。せっかちで、味気ない文章になります。

マラソンについてエッセイを書いたこともありますが（『それからの僕にはマラソンがあった』筑摩書房）、あれは走りはじめのころだったから書けた気がします。いま走ることについてあのようなおもしろいエッセイが書けるのか、ちょっと自信がありません。

だからもし「ギターについてエッセイを書いてください」と依頼されたら、断るか、ギターそのものではなく「ギターにまつわるエピソード」を書くでしょう。

感動のプロセスがないものについては、書かない。

逆に言えば、なにかに出会ったり、なにかを自分がはじめたときはいちばん感情が動くときですから、「書きどき」なのです。

・なにを書かないか②

4章まではずっと「考えて、自分なりの答えを出す」という話をしてきました。

エッセイの中には、その見つけた答えの全部は書きません。言い切らないで、読み手に考える余白を残します。これはちょっとむずかしいかもしれません。

『暮しの手帖』の編集長を務めていたときから、「答えは絶対に書いてはダメ」と口を酸っぱくして言っていました。

料理にしても、旅行にしても、ものづくりにしても、事実はできるだけ具体的に書く。けれども、「だからこうなんです」という結論や雑誌側のメッセージは提示しないようにしよう、と。

料理のレシピは手順やポイントを詳しく説明するけれど、その料理をつくってみたらどれくらいおいしいのかは書かない。洋服の手入れについては事細かく紹介するけれど、ものを長く使うことについての哲学は語らない。

そこは読者に委(ゆだ)ねて、手を動かしたり考えたりしてもらうのです。「答えを読者とともに考える」。これを理想としていました。そうしたからこそ、それぞれの読者の方に『暮しの手帖』を自分のものにしてもらえたような気がします。

エッセイも同じです。たとえば両親についてのエッセイを書くとき、直接的に「両親は大切にしないといけないと思った」とは書きません。そう思っていることが伝わるようにエピソードを描写し、自分の「秘密」を書きます（先ほどご紹介した向田邦子さんの「字のない葉書」がまさにこのスタイルですね）。

ほんとうは、答えを書いたほうがずっとかんたんです。「これはこういう味がして、絶対においしいです」と言いたい。ものを長く使うすばらしさについて説きたい。誤解が生まれないように「両親は大切にしよう」と書きたい。

しかし、それだとつまらないのです。はっきりと答えが書いてあると読み手が自分で考える余韻がないし、どんなときでも受け取り方が変わらないから、読み返したときのおどろきや感動も得にくくなってしまいます。

小説も、ほんとうにすばらしい作品には答えが書いてありません。「これってどういうことだろう」と読む者が思うことで余韻がいつまでも残り、何度も読み直す作品になります。

映画だって、観終わったあとに「あれはいったいなんだったんだろう？」と思った経験があるでしょう。それで何度も観ていくうちに、ああ、こういうことかなあと気づくような。

こうしたコンテンツのように、読み手に長く響くエッセイを書くためにも「書きすぎないこと」が大切です。

「書かない」という選択は勇気がいります。でも、そんな気持ちを抑えてわかってもらえるように書くのが、エッセイを書くときの「がんばりどころ」だとも思うのです。「あなたが自分で答えを思いめぐらせるように書きますね」という、心くばりのひとつです。

答えを言いたい気持ちを、ぐっと飲み込む。伝わってほしいという思いを込めて、ていねいに書く。エッセイに答えはいらない。

そうして向き合った文章が、人の心に残りつづけるエッセイになるのです。

・情景描写が具体的なほうがいい理由

文章は、できるだけ具体的に。情景描写は、細かく。

これは、僕がアドバイスを求められたときに返す答えのひとつです。同じテーマで書いても、映像が浮かび上がってくるエッセイとあまり見えてこないエッセイとでは、前者のほうがずっと心を動かしてもらえるのです。

このことに気づいたのは、日本文学と英米文学の違いに興味を持ち、勉強したことがきっかけです。いろいろな学びがあったのですが、なかでも「描写」の違いが印象的でした。

まず、日本文学は心の状態や感情の描写に重きを置きます。「私はこう思っている」「こう感じた」ということを、具体的に言葉を尽くして描いていく。

一方で、英米文学は情景描写に力点を置きます。

「テーブルの上に、フレームが黒いオーバル型の、メタルフレームのメガネが置いてある。

そのとなりには小指よりも細いペンが横たわっていて……」

と、絵画を具体的に説明するように状況を描いていく。

そしてこのふたつのパターンを比べてみると、エッセイは意外と情景描写が具体的なほうがいいものになる、というのが僕なりの発見でした。

エッセイは感情からはじまるものだから、日本文学スタイルのほうが近いように思えるかもしれません。たしかにそうなのですが、その心象の背景に豊かな情景が存在することで、文章にぐっとリアリティが増します。ストーリーに手ざわりが生まれるのです。

しかも、心の描写だけだと「私の考えはちょっと違う」と思った途端、読み手はその文章に寄り添いづらくなります。けれど書き手が見ている情景を同じように映像で見ることができると、たとえ考え方は違っていても共感しやすくなる。書き手の世界に入り込んでもらいやすくなるのです。

情景を細かく、具体的に書くのは粘り強さや観察力が必要です。目に見えるもの、記憶の中にあるものをじっと見つめる。色やかたち、温度や匂い……読み手が想像しやすいような表現に置き換えていく。

なかなかむずかしくもありますが、とにかく具体的にというのはエッセイストの書く段階での「がんばりどころ」。僕も、いつも自分を奮い立たせています。

・エッセイの上手、下手とはなにか？

「エッセイを書いてみたいけれど、文章をほめられたことはないし、作文も得意だったわけじゃないから不安……」

そんなふうに感じている方もいらっしゃるかもしれませんが、まったく問題ありません。

エッセイにおいて大切なのは、テクニックではなくていねいさです。

そもそも上手に書きたいということは、言い換えれば「だれかに伝えたい」ということでしょう。

もしそう真剣に思うのであれば、自然とていねいに書こうとするはずです。たどたどしくてもいいのです。「この言葉は適切だろうか」「この表現はおかしくないかな」と、だれかに大切な話を告白するときのようにこつこつと文章を整えていく。ていねいでさえあれば、まずは大丈夫です。

なによりエッセイにおける「上手な文章」があるとしたら、「伝えたい感情が耳に心地よい声とやさしさで、まっすぐに伝わっている文章」だと僕は思います。そのエッセイの動機や感情が見えたら、結果として「上手なエッセイ」ということになる。素直な気持ちをていねいに記していくことが、いちばんの「文章術」です。

反対にもし「下手なエッセイ」というのがあるとしたら（あまり「下手」という言葉は使いたくないのですが）、書き手の感情が見えない文章かもしれません。

それは、「読んでいてもおもしろくないエッセイ」と言い換えてもいいでしょう。

ときどき、文法的には破綻していても、魅力的なエッセイというのがあります。

みなさんも読んだことがあるのではないでしょうか。正しい言葉づかいじゃないけれど、迫力があり、その人らしさがにじみ出ていて、ぐいぐい引っぱられるような文章。読み終わったあと、呆然としてしまうようなエネルギーのある文章。

それはきっと、自分の感情や「秘密」を聞いてほしいと本気で思っている人のエッセイなのだと思います。

偽りのない切実な思いがあるから、読ませる文章になるのです。エッセイの最終到達点といえるでしょう。


とはいえ、むずかしく考える必要はありません。この本でお伝えしてきたことを手がかりにして、自分の感情や「視点」、そして「秘密」をていねいに描いたエッセイは、それだけでいいエッセイになっているはず。「上手に書けている」はずですよ。

「上手に書こう」と気負う必要はありません。

繰り返しになりますが、読み手のことを想像して、ていねいに、ほんとうのことを書けば、それはとてもいいエッセイなのです。

・推敲のタイミングとポイント

推敲。書いた文章を整え、よりよくする作業です。

文章を書くうえで、推敲は絶対に必要です。どんなにうまく書けたと思っても、手直しはかならず発生します。

誤字脱字はないか。主語と述語はねじれていないか。意味はとおっているか。かっこつけていないか。演出を入れていないか。もっと読みやすくできないか。もっとわかりやすい表現はないか。もっと具体的に描写できないか。

——これはほんの一部ですが、さまざまな自分なりの視点で客観的に手を入れていいエッセイに仕上げていきます。

僕は、この推敲の作業こそ、文章を上達させるコツだと思っています。

自分の文章の未熟な部分を見つけ、客観的に自分で修正していく。書き方のクセや表現の偏り、粗さにも気がつき、次書くときに活かすことができるのです。

推敲は客観的に行うことが大切ですから、書いてからある程度時間を置きましょう。僕は、翌日以降の朝を推敲タイムにしています。朝は頭がクリアですし、新鮮な気持ちで文章に向かうことができ、書いているときには気づかなかった部分に細かく目が届くのです。

具体的な推敲のコツは、「減らす」こと。まず書きたいことを自由に書いて、推敲で余分な文章をカットしていくやり方です。

装飾的でまどろっこしい描写や書かなくても意味のとおる文章、書きすぎの説明、不要なエピソード、重複。こうした太った表現をどんどん削っていきます。

はじめの分量にもよりますが、だいたい「元の原稿から3分の1に削ろう」と目安を決めて手を入れていくと、ちょうどいいあんばいの文章になります。

こうして「絶対に伝えたいこと」と「それを伝えるために必要なこと」だけを残すことで、エッセイの輪郭がはっきりと見えてきます。読み手にストレートに届く、ただ「ひとつ」のメッセージが明確なエッセイになるのです。削ったあとに、補足が必要であれば、もちろん増やしてもいい。

また、推敲の最後には一度、声に出して読むといいでしょう。目で読みながら、耳で聞く。文章にぐっと集中できますし、リズムの悪さや句読点を打つ適切な位置がよくわかります。

ひとつのエッセイを完成させるのは、なかなかむずかしいことです。「完璧」を求めるときりがなく、もっとよくできるんじゃないか、これでいいんだろうかと思うと、なかなか手離れできなくなります。

すっきりとした頭で推敲したら、それで完成とする。そんな思い切りのよさも、大切なのかもしれません。

・書けないときの対処法と考え方

エッセイを書きつづけていると、「今日はなにをしてもうまく書けないなあ」というときはかならずあります。体調だったり忙しさだったりプライベートの状況だったりで、手も頭も動かなくなってしまうとき。いわばスランプというものです。

仕事でエッセイを書くときも、「明日が締め切りだから今日のうちに書いておかないといけないのに、なんにも書けない」ということもあるのです。書いては消し、書いては消しを繰り返し、ただただ焦る——。

そんなときは抵抗せず、「書かない」のがいちばんです。今日は無理だと、あきらめる。なんといっても、無理やりエッセイを書くのはたのしくありませんし、仕事だろうとなんだろうと無理やり書いたエッセイはおもしろくありません。本を読んだり好きな人とおしゃべりしたりして、いいコンディションと「書けそう」がやってくるまで待ちましょう。

今の僕は、ほとんどのエッセイを「一筆書き」に近い感覚で書いています。書きはじめたら、終わりまで一気に手を動かす。逆に、一筆書きにならないときは芯に当たったエッセイになりません。

しかし、一気に書くためにはある程度の事前準備が必要です。「エッセイを書いている途中で手が止まってしまいがち」という人は、なにを書くかあらかじめ整理したり、プロットを練ったりすることに時間をかけてみるといいと思います。

また、書いてみるもののなかなか最後まで完成させられない人。これは、「最高のエッセイを書こう」としているパターンが多いようです。名作エッセイを目指して力んでしまうのかもしれません。

そうならないためにも、毎日のメモ書きや寝る前の3つの「よかったこと」日記、そして読んだり書いたりする習慣をつけて、エッセイを書くことを「あたりまえ」にするのがいいでしょう。

書くことを――つまり「考える」ことを、自分のあたりまえにする。これこそエッセイストとしての生き方です。日常にある感動を見つめて言語化することを、ライフスタイルにする。書くことを特別なことにしない。

大作を書こうとか、オチをつくらないととか、欲を出してはいけません。そこは読み手を感動させるポイントではないのです。

あなただけの「視点」、そして「秘密」に集中してください。エッセイストとして。

・タイトルにはこだわらない

身も蓋もありませんが、僕はエッセイのタイトルはまったく重要ではないと思っています。

タイトルを重視したり、最初に考えてから書きはじめる人もいるかもしれませんが、僕自身はタイトルに頭を使ったことが一度もありません。人につけてもらってもいいくらい。クライアントや担当の編集者につけてもらうことだってあるのです。

もちろん、SNSで見つけてもらったり、読んでもらったりするためには引きのあるタイトルが必要かもしれません。それでも中身がつまらなかったらすぐに閉じられてしまうわけですから、タイトルに時間をかける意味はあまりないように思います。

最低限「どんなことが書いてあるか」や「なににについて書いてあるか」さえわかれば、それに興味のある人がクリックしてくれるでしょう。

思わせぶりなタイトルに凝るより、「たまたま読んでみたら心が大きく動いて、思わず友人にシェアしてしまった」となるようなエッセイの中身を目指すほうが、よほど大切です。

頭と心を使うのは、タイトルではなく中身。エッセイ以前のこと。エネルギーはひとつに集中させるのがいいのです。

・書くことと、自分のケア

エッセイを書きつづけるためには、体調管理とメンタルケアが欠かせません。これに尽きる、と言ってもいいでしょう。

エッセイは体調が悪いと書けませんし、メンタルの調子を崩していてもなかなか書けません。両方のコンディションを整えるためには、日々の生活をないがしろにせず「ドクター・ユアセルフ」しつづけることが大切です。

同時に、エッセイを書くことと健康はお互いに作用するものです。

エッセイを書くことでメンタルはとても安定します。自分はなにが好きで、なにが嫌いで、なにがうれしくて、なにが悲しいのか。書くことによって日々見つめ、自分を把握することで、不安が取り除かれ心の調子が整っていきます。

心の調子が整うと、自分をしっかりとケアしてあげようと思えます。食べるものに気をつけたり、睡眠の質に意識を向けたり、適度に休息を取ったり、いい音楽を聴いたりと、自分自身の心と身体を愛(め)でる余裕が生まれていく。

そして心身が健康になれば、むらなく、日々こつこつとエッセイを書きつづけることができるでしょう。


書くこととよりよく生きることは、循環しています。

エッセイストという生き方は「ドクター・ユアセルフ」であり、同時に「ドクター・ユアセルフ」することでエッセイストとして生きることができるのです。

・エッセイの「理念」を決める

最後になりますが、僕が書くエッセイの理念（方針と言ってもいいかもしれません）は「おもしろくて、たのしくて、役に立つ」です。

しかし、これは僕自身のアイデアではありません。伊丹十三さんが映画づくりで大切にしていたと言われている理念です。

伊丹さんは遅咲きの監督で、51歳にしてはじめての映画『お葬式』を製作することになりました。役者ではあったものの映画監督の経験がなかった彼は、どんなふうにつくったらいいかわからず途方に暮れていたそうです。そこで、過去に大ヒットした日本の映画を古いものからあたらしいものまで200本ほど観て、じっくり研究したのだとか。

伊丹さんが発見したヒットした映画の共通点こそ、「おもしろくて、たのしくて、役に立つ」。ただエンターテインメントとして心が躍るだけではなく、「役に立つ」ことが大事だということに気がついたのです。

そして伊丹さんはこの3つの指針に、徹底して従った。

そのおかげで、彼の作品はデビュー作の『お葬式』にはじまり、『タンポポ』『マルサの女』など何作も大ヒットを記録したのです。

『お葬式』はくすっと笑える人間のおかしみがちりばめられつつ、「お葬式のときにはこんなことが起こる」「こういう場面ではこういうマナーがある」ということもわかります。『マルサの女』も、小気味いいテンポと個性豊かなキャラクターをたのしみつつ、税務調査についてちょっとだけ詳しくなれます。

みんなによろこばれるものにするためには、役に立つという、ひとさじの実用も大事なんだ――。

伊丹さんのエピソードからそう学び、「僕も、おもしろくてたのしいだけではなく、少しでもだれかの役に立つエッセイが書けるといいなあ」と素直に思ったのです。「おもしろくて、たのしくて、役に立つ」。それをいまも、自分のエッセイの理念にしています。

暮らしについて、ものやお金について、友人や家族について、人間関係や愛について、一人でも多くの人の考えるきっかけや気づきになってもらえたらと思っています。

ただし、これはあくまで僕の理念です。みなさんには、エッセイストという生き方によって、自分なりの理念を見つけてほしいと思うのです。

長く、ブレずに書くために、「こういう方向性でものを書こう」という意識を持つのは大事です。どう書くか迷ったときにも、その理念は羅針盤となるはず。

すぐに見つけるのはむずかしいかもしれませんが、考えつづけてみてください。

どんな理念を持ってエッセイストとして生きていこうかと、日々考えながら書きながら、思い描いていただければと思います。

エッセイストという生き方があなたの未来に少しでも役に立ってもらえたらうれしいのです。これからの新しい時代を生き抜くために。

エッセイストのように生(い)きる

2023年10月30日　初版第1刷発行
2024年 9 月10日　　　　3刷発行

著者　松浦弥太郎(まつうらやたろう)

編集協力　田中裕子（batons）
編集　樋口 健
組版　堀内印刷
印刷所　堀内印刷
製本所　ナショナル製本
発行者　三宅貴久
発行所　株式会社光文社
郵便番号　112-8011
東京都文京区音羽1-16-6
電話　ノンフィクション編集部　03-5395-8172
書籍販売部　03-5395-8116
制作部　03-5395-8125
メール　non@kobunsha.com

落丁本・乱丁本は制作部へご連絡くだされば、お取り替えいたします。

ISBN978-4-334-10098-8